MAURICE LEBLANC

Arsène Lupin
O Ladrão de Casaca

CONHEÇA NOSSO LIVROS
ACESSANDO AQUI!

Copyright desta tradução © IBC - Instituto Brasileiro De Cultura, 2021

Título original: Gentleman-cambrioleur
Reservados todos os direitos desta tradução e produção, pela lei 9.610 de 19.2.1998.

3ª Impressão 2023

Presidente: Paulo Roberto Houch
MTB 0083982/SP

Coordenação Editorial: Priscilla Sipans
Coordenação de Arte: Rubens Martim (capa)
Produção Editorial: Eliana S. Nogueira
Tradução e preparação de texto: Fabio Kataoka
Revisão: Cláudia Rajão

Vendas: Tel.: (11) 3393-7727 (comercial2@editoraonline.com.br)

Foi feito o depósito legal.
Impresso na China

Dados Internacionais de Catalogação na Publicação (CIP)
(eDOC BRASIL, Belo Horizonte/MG)

L445a   Leblanc, Maurice, 1864-1941.
      Arsène Lupin : o ladrão de casaca : Maurice Leblanc. –
     Barueri, SP: Camelot, 2021.
     15,1 x 23 cm

     ISBN 978-65-87817-11-8

     1. Ficção francesa. 2. Literatura francesa – Romance. I. Título.
                             CDD 843

Elaborado por Maurício Amormino Júnior – CRB6/2422

IBC — Instituto Brasileiro de Cultura LTDA
CNPJ 04.207.648/0001-94
Avenida Juruá, 762 — Alphaville Industrial
CEP. 06455-010 — Barueri/SP
www.editoraonline.com.br

SUMÁRIO

Introdução	5
Arsène Lupin Preso	7
Arsène Lupin na Cadeia	19
A Fuga de Arsène Lupin	35
O Viajante Misterioso	52
O Colar da Rainha	65
O Sete de Copas	79
O Cofre da Sra. Imbert	105
A Pérola Negra	115
Herlock Sholmes Chega Tarde	127

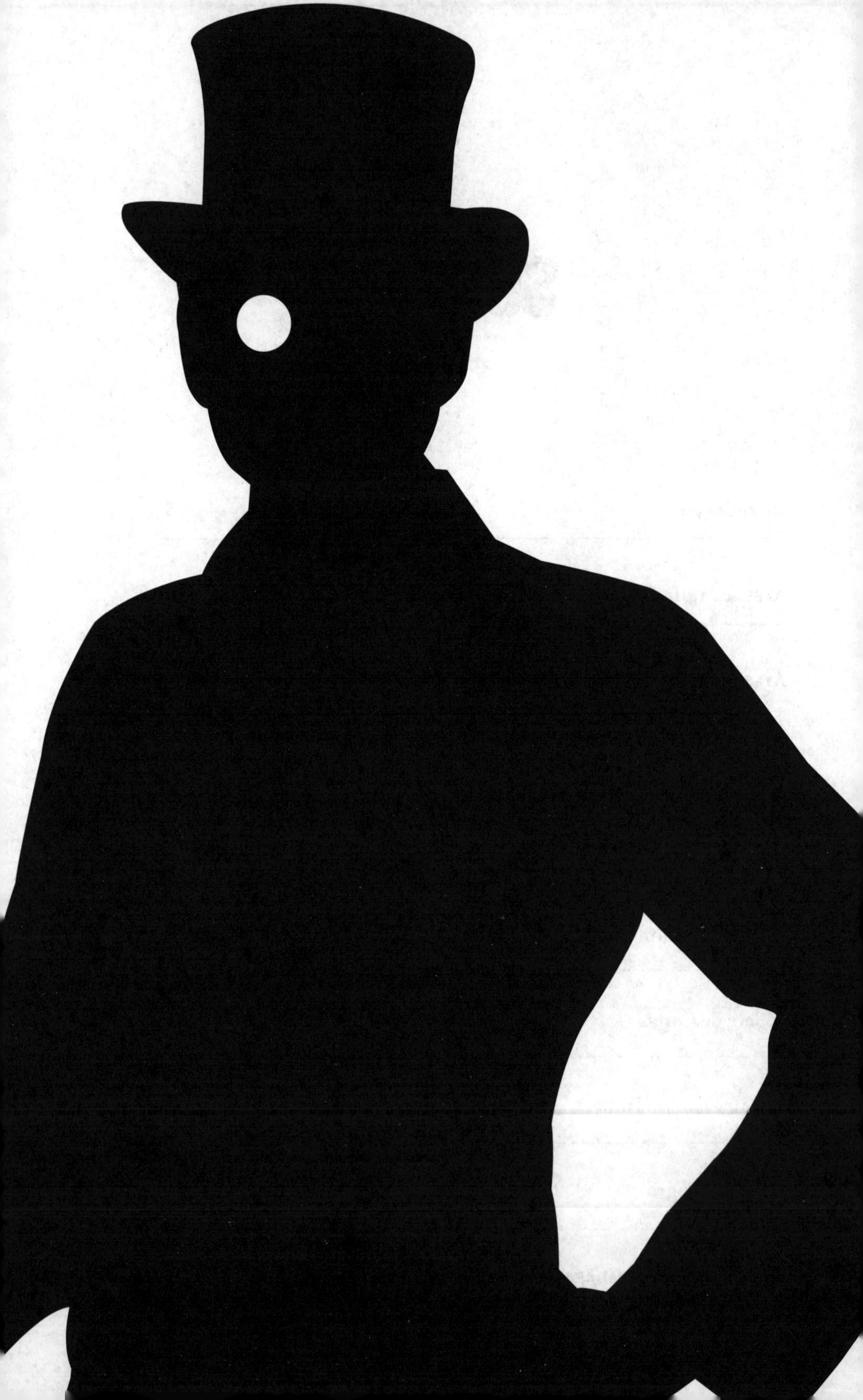

INTRODUÇÃO

Arsène Lupin, o Ladrão de Casaca, reúne nove histórias do escritor francês Maurice Leblanc. Surgiu em 1907 com o título Arsène Lupin, gentleman-cambrioleur (literalmente, o ladrão-cavalheiro), encomendada pela revista francesa *Je sais tout* (Eu sei tudo).

O editor da revista pediu uma novela policial, com um herói francês que correspondesse a Sherlock Holmes na Inglaterra. Surgiu assim Arsène Lupin, personagem zombador, audacioso, impertinente, que sempre desafia o inspetor Ganimard.

Ao longo de cerca de trinta episódios que desenvolveu, Leblanc transformou o ladrão de casacas. O anti-herói acaba se tornando um justiceiro capaz de corrigir os erros da polícia.

Para criar Arsène Lupin, Maurice Leblanc se inspirou no anarquista francês Marius Jacob, que realizou 150 assaltos que lhe renderam 23 anos de prisão. Foi um ladrão habilidoso dotado de um senso de humor aguçado, capaz de grande generosidade com suas vítimas.

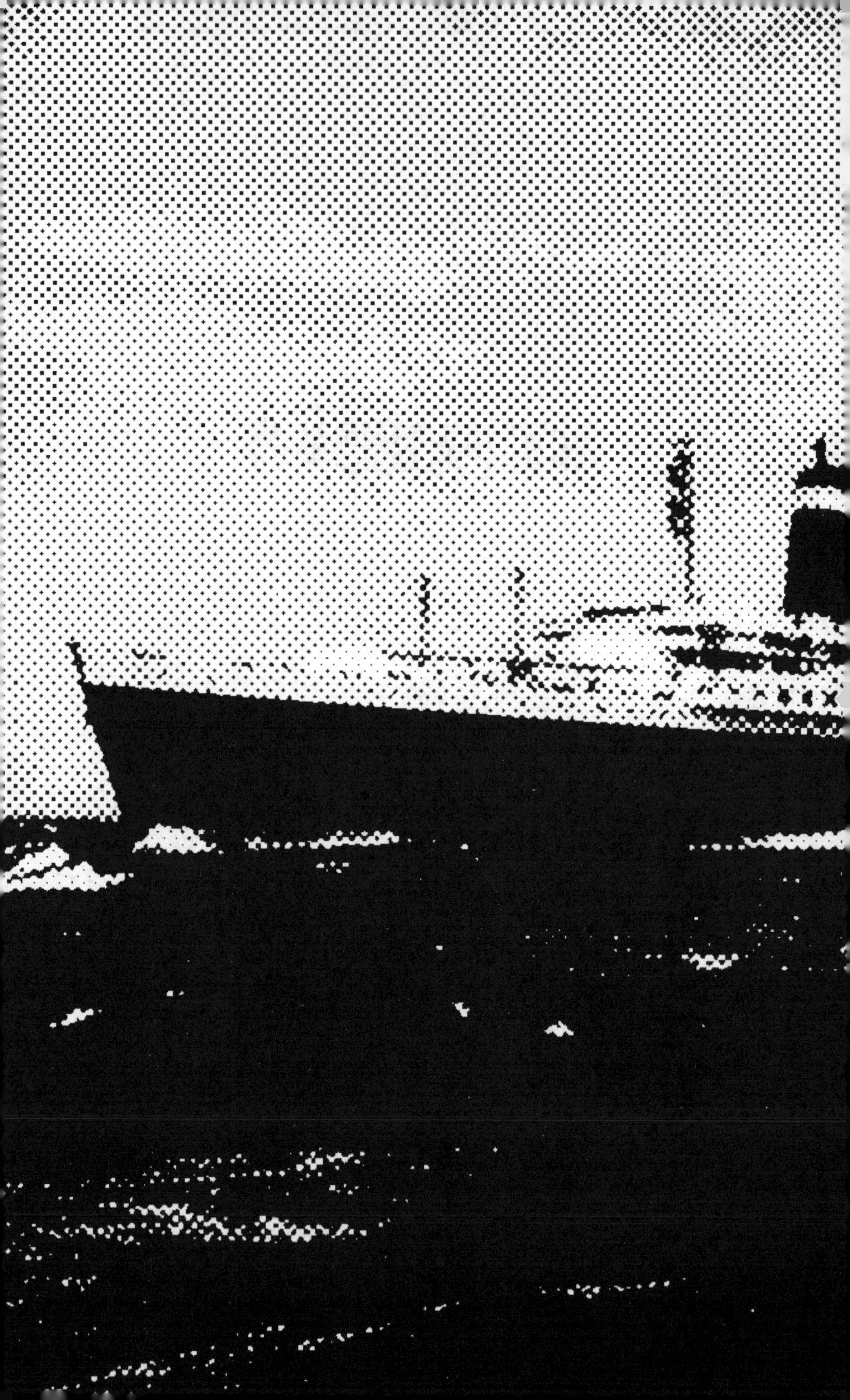

ARSÈNE LUPIN PRESO

Que estranha jornada! E tinha começado bem. Nunca fiz outra que se mostrasse mais auspiciosa. O Provence é um transatlântico rápido e confortável, comandado pelo mais afável dos homens. A sociedade mais seleta estava ali reunida. Relacionamentos se formaram, organizavam-se diversões. Tivemos essa sensação requintada de estarmos separados do mundo, reduzidos a nós mesmos como numa ilha desconhecida, e portanto obrigados a nos aproximar uns dos outros. E estávamos chegando perto...

Você já pensou sobre o que há de original e inesperado neste grupo de seres que, no dia anterior, não se conheciam, e que, por alguns dias, entre o céu infinito e o mar imenso, vão viver a vida mais íntima juntos e vão desafiar a raiva do oceano, o ataque terrível das ondas, a maldade das tempestades e a calma furtiva da água adormecida?

É uma espécie de resumo trágico da vida em si, com suas tempestades e sua grandeza, sua monotonia e sua diversidade, e é por isso que, talvez, provemos com pressa febril e um prazer ainda mais intenso esta curta viagem cujo fim vislumbramos exatamente como começa.

Há alguns anos algo vem acontecendo que adiciona particularmente mais emoções à travessia. A pequena ilha flutuante ainda depende deste mundo do qual se acreditava libertado. Um elo subsiste, que se desemaranha pouco a pouco no meio do oceano, e aos poucos, no meio do oceano, se renova. O telégrafo sem fio liga a outro universo do qual receberíamos mais notícias! A imaginação não tem mais o recurso de evocar fios de ferro em que a mensagem invisível escorrega. O mistério é ainda mais insondável. É também muito poético. As asas do vento devem ser usadas para explicar este novo milagre.

Assim, nas primeiras horas, nos sentimos seguidos, escoltados, até precedidos por essa voz distante que, de tempos em tempos, sussurra a um de nós algumas palavras lá de longe. Dois amigos me falaram. Dez, vinte outros enviaram a todos nós, através do espaço, suas despedidas tristes ou sorridentes.

No entanto, no segundo dia, a quinhentas milhas da costa francesa, em uma tarde tempestuosa, o telégrafo sem fio estava nos enviando uma mensagem cujo conteúdo era:

"Arsène Lupin a bordo, primeira classe, cabelo loiro, ferimento antebraço direito, viajando sozinho, com o nome de R."

Neste preciso momento, um violento trovão explodiu no céu sombrio. As ondas elétricas foram interrompidas. O resto do despacho não chegou até nós. Do nome sob o qual Arsène estava se escondendo, só sabíamos a inicial.

Se fosse qualquer outra novidade, não duvido que o segredo tivesse sido escrupulosamente guardado pelos funcionários do posto telegráfico, pelo comissário de bordo e o comandante. Mas há acontecimentos que parecem forçar a discrição mais rigorosa. No mesmo dia, sem que se pudesse dizer como a informação veio à tona, ficamos todos sabendo que o famoso Arsène Lupin estava escondido entre nós.

Arsène Lupin entre nós! O ladrão esquivo de quem se contavam as proezas em todos os jornais há meses! A enigmática personagem com quem o velho Ganimard, o nosso melhor policial, tinha iniciado um duelo de morte cujas peripécias se desenrolavam de um modo tão pitoresco! Arsène Lupin, o cavalheiro fantasioso que só age nos castelos e salões, e que, uma noite em que penetrara na casa do barão Schormann, saíra de mãos vazias deixando seu cartão com esta tirada:

"Arsène Lupin, ladrão cavalheiro, voltará quando os objetos forem autênticos."

Lupin, o homem de mil disfarces, chofer, tenor, apostador, filho de boa família, adolescente, ancião, caixeiro-viajante de Marselha, médico russo, toureiro espanhol!

E pensar que ele circula no ambiente relativamente restrito de um transatlântico; no pequeno espaço da primeira classe, onde a gente se encontrava a toda hora, nesta sala de refeições, neste salão, na sala de fumar! Arsène Lupin pode ser talvez este senhor... ou aquele... meu vizinho de mesa... meu companheiro de cabina...

— E isto vai durar ainda cinco vezes vinte e quatro horas! — lamuriou no dia seguinte Miss Nelly Underdown. — É intolerável! Tomara que o prendam logo!

E dirigindo-se a mim:

— O senhor, que tem boas relações com o comandante, Sr. d'Andrézy, não sabe de nada?

Gostaria de saber algo para agradar a Srta. Nelly! Ela era uma daquelas criaturas magníficas que, onde quer que estejam, ocupam imediatamente o lugar de maior destaque. Sua beleza tanto quanto sua fortuna brilham. Tem uma corte de devotos e admiradores.

Criada em Paris pela mãe francesa, ia se encontrar com o pai, o riquíssimo Underdown, de Chicago. Uma de suas amigas, Lady Jerland, a acompanhava.

Desde a primeira hora, me candidatei ao flerte. Mas na rápida intimidade da viagem, seu charme imediatamente me perturbou, e me senti um pouco emocionado demais para um flerte quando seus grandes olhos negros encontraram os meus. No entanto, ela acolheu meus respeitos com algum favor. Ela se dignou a rir das minhas tiradas e se interessou por minhas anedotas. Uma vaga simpatia parecia responder à minha ansiedade.

Só um rival me preocupou: um rapaz bastante bonito, elegante, discreto, de quem ela parecia às vezes preferir o humor taciturno às minhas atitudes mais extrovertidas de parisiense. Ele fazia parte do grupo de admiradores que cercavam Miss Nelly, quando ela veio me interrogar. Estávamos na ponte, agradavelmente instalados em cadeiras de balanço. A tormenta da véspera tinha aclarado o céu. A hora era deliciosa.

— Nada sei exatamente, senhorita — respondi. — Mas seria possível fazermos nós mesmos o nosso inquérito tão bem quanto o faria o velho Ganimard, o inimigo pessoal de Arsène Lupin?

— Oh! Oh! O senhor se precipita!

— Em quê? Será um problema tão complicado?

— Muito.

— É que esquece os elementos que temos para resolvê-lo.

— Que elementos?

— Primeiro, Lupin se faz chamar de Senhor R... — Indicação bem vaga.

— Segundo, viaja sozinho.

— Se essa particularidade nos bastasse!

— Terceiro, é loiro.

— E então?

— Então só temos que consultar a lista dos passageiros e proceder por eliminação.

Tinha essa lista no bolso. Puxei-a e percorri-a.

— Observei, de cara, que há apenas treze pessoas cuja inicial chama a nossa atenção.

— Treze apenas?

— Na primeira classe, sim. Entre esses treze senhores R..., como podem conferir, nove estão acompanhados de mulheres, filhos ou criados. Sobram quatro sozinhos: o Marquês de Raverdan... — Secretário de Embaixada — interrompeu Miss Nelly. — Eu o conheço.

— O Major Rawson...

— É meu tio — disse alguém.

— Sr. Rivolta...

— Presente — gritou um do grupo, um italiano cujo rosto desaparecia sob uma barba do mais belo negro.

Miss Nelly começou a rir.

— Ele não é exatamente loiro.

— Então — prossegui — somos obrigados a concluir que o culpado é o último da lista.

— Ou seja?

— Ou seja, Senhor Rozaine. Alguém conhece Senhor Rozaine?

Calaram-se. Mas Miss Nelly, interpelando o jovem taciturno cuja frequência a seu lado me inquietava, disse-lhe:

— Então, Senhor Rozaine, não responde?

Todos os olhos se voltaram para ele. Era loiro.

Confesso que senti um pequeno choque dentro de mim. E o silêncio constrangedor que pesou sobre o grupo me indicou que os outros também experimentavam aquela espécie de asfixia. Aliás, era absurdo, pois nada enfim nas maneiras desse senhor permitia que ele fosse suspeito.

— Por que não estou respondendo? — ele disse — porque devido ao meu nome, minha qualidade de viajante individual e a cor do meu cabelo, já realizei uma investigação semelhante e cheguei ao mesmo resultado. Portanto, sou de opinião que devem me prender.

Ele tinha um ar esquisito ao pronunciar essas palavras. Seus lábios finos como dois traços inflexíveis afinaram ainda mais e empalideceram. Filetes de sangue marcaram seus olhos.

Sem dúvida, brincava. No entanto, sua fisionomia e atitude nos impressionaram. Ingenuamente, Miss Nelly perguntou:

— Mas o senhor tem lesões?

— É verdade, disse ele, a ferida sumiu.

Com um gesto nervoso, ergueu a manga e mostrou o braço. Uma ideia me veio na hora e meus olhos se cruzaram com os de Miss Nelly. Ele tinha mostrado o braço esquerdo.

Pretendia comentar esse detalhe, quando um incidente desviou nossa atenção. Lady Jerland, a amiga de Miss Nelly, chegou correndo. Estava transtornada. Todos a cercaram, mas só depois de um esforço é que conseguiu balbuciar:

— Minhas joias, minhas pérolas!... Levaram tudo...

Não, não tinham levado tudo, como ficamos sabendo depois. Fato curioso: tinham escolhido!

Da estrela de diamantes, do pingente de rubis não talhados, dos colares e braceletes quebrados, tinham tirado não as pedras maiores, mas as mais finas e preciosas, as que tinham mais valor ocupando menos lugar. Os esqueletos jaziam, sobre a mesa. Eu os vi, todos vimos, despojados de suas gemas como flores de que se arrancassem as belas pétalas brilhantes e coloridas.

Para realizar esse trabalho, durante a hora em que Lady Jerland tomava o chá, foi preciso, em pleno dia e num corredor frequentado, quebrar a porta da cabina, achar um saquinho escondido numa caixa de chapéu, abri-lo e escolher!

Houve um só clamor entre nós, uma só opinião em todos os passageiros, assim que o roubo foi descoberto: era Arsène Lupin. De fato, aquela era a sua maneira complicada, misteriosa, inconcebível e, no entanto, lógica, pois, seria difícil esconder o volume grande que faria o conjunto das joias, o constrangimento se tornaria mínimo com coisas independentes umas das outras, pérolas, esmeraldas e safiras!

No jantar, aconteceu que, à direita e à esquerda de Rozaine, os dois lugares ficaram vazios. E à noite se soube que tinha sido chamado pelo comandante.

Sua prisão, que ninguém questionou, causou um verdadeiro alívio. Nessa noite houve jogos de salão e danças. Miss Nelly, especialmente, mostrou uma alegria ruidosa que me fez ver que, se as homenagens de Rozaine a tinham sensibilizado no início, mal se lembrava delas. Sua graça acabou de me conquistar. Pela meia-noite, à claridade serena da lua, demonstrei meu devotamento com uma emoção que não pareceu desagradar-lhe.

No dia seguinte, para espanto geral, soubemos que, sendo insuficientes as provas contra ele, Rozaine estava livre.

Filho de um comerciante importante em Bordéus, tinha exibido papéis perfeitamente em ordem. Além disso, seus braços não mostravam qualquer resquício de lesão.

— Papéis! Certidões de nascimento! — exclamavam os inimigos de Rozaine. — Isso Arsène Lupin fornece tantos quantos forem necessários! Quanto ao ferimento, é que não houve, ou então ele apagou os vestígios!

Objetavam que, na hora do roubo, ficara demonstrado que Rozaine caminhava na ponte. Ao que contestavam:

— Mas será que um homem do calibre de Arsène Lupin tem necessidade de ajuda para roubar?

Afinal, fora de qualquer possível consideração, havia um ponto sobre o qual os mais céticos não podiam discutir. Quem, além de Rozaine, viajava sozinho, era loiro e usava um nome começando por R? Quem o telegrama designaria senão Rozaine?

Quando este, minutos antes do almoço, dirigiu-se audaciosamente para o nosso grupo, Miss Nelly e Lady Jerland se levantaram e foram embora. Na verdade, era medo.

Uma hora depois, uma circular manuscrita passava de mão em mão entre os empregados de bordo, marinheiros e viajantes de todas as classes: Sr. Louis Rozaine prometia uma soma de dez mil francos a quem desmascarasse Arsène Lupin ou achasse o portador das pedras furtadas.

— Se ninguém vier me ajudar contra este bandido — declarou Rozaine ao comandante —, eu mesmo hei de ajustar contas com ele.

Rozaine contra Arsène Lupin, ou antes, de acordo com a frase que circulou, o próprio Arsène Lupin contra Arsène Lupin — uma luta a que não falta interesse!

Ela se prolongou durante dois dias.

Viam Rozaine por todos os lados, misturando-se ao pessoal do navio, interrogando, investigando. De noite, percebia-se sua sombra a andar.

Por sua vez, o comandante ostentava a mais ativa energia. O Provence foi vasculhado de alto a baixo. Com o pretexto bem justo de que os objetos estariam escondidos em qualquer lugar fora da cabina do culpado, todas as cabinas foram sem exceção vistoriadas.

— Vão acabar por descobrir alguma coisa, não é? — perguntava-me Miss Nelly.

— Por mais mágico que ele seja, não pode fazer com que diamantes e pérolas se tornem invisíveis.

— É claro — respondi. — Ou então seria preciso explorar o interior de nossos chapéus, os forros de nossas roupas e tudo o que levamos conosco.

E, mostrando-lhe a minha Kodak 9x12, com a qual não me cansava de fotografá-la nas mais variadas atitudes:

— Num aparelho não maior que este, não crê que haveria lugar para todas as pedras preciosas de Lady Jerland? Finge-se tirar retratos e o negócio está feito.

— Mas já ouvi dizer que não há ladrão que não deixe atrás de si alguma pista.

— Há um: Arsène Lupin.

— Por quê?

— Por quê? Por não pensar apenas no roubo que comete, mas em todas as circunstâncias que poderiam denunciá-lo.

— No início, o senhor estava mais confiante.

— Mas depois eu o vi em ação.

— De modo que, segundo o senhor...?

— Acho que perdem tempo.

De fato, as investigações não deram qualquer resultado, ou pelo menos o que deram não correspondeu ao esforço geral: o relógio do comandante foi roubado.

Furioso, ele duplicou de ardor, e vigiava ainda de perto Rozaine, com quem tinha tido várias entrevistas. No dia seguinte — que estranha ironia — acharam o relógio entre os colarinhos do subcomandante.

Tudo isso tinha um ar de mágica, e denunciava a maneira humorística de Arsène Lupin. Ladrão, sim, mas também apaixonado pelo que fazia. Trabalhava por gosto e vocação, mas também para divertir-se. Dava a impressão do autor que se distrai com a própria peça e, nos bastidores, ri francamente de suas saídas espirituosas e da situação que imaginou.

Era sem dúvida um artista em seu gênero, e quando eu observava Rozaine, sombrio e persistente, e pensava no papel duplo que representava esse curioso personagem, não podia pensar nele sem certa admiração.

Na penúltima noite, o oficial de guarda ouviu gemidos no lugar mais escuro da ponte. Aproximou-se. Um homem estava estendido, com a cabeça envolta num espesso lenço cinzento grande e grosso, com os punhos amarrados com uma cordinha fina.

Libertaram o homem, levantaram-no e cuidaram dele. Era Rozaine.

Rozaine, que fora agredido durante uma de suas expedições, derrubado e despojado. Um cartão de visita, preso por um alfinete na sua roupa, dizia:

"Arsène Lupin aceita com gratidão os dez mil francos de Sr. Rozaine."

Na realidade, a carteira furtada continha vinte notas de mil.

Naturalmente, acusaram o infeliz de ter simulado esse ataque contra si mesmo. Mas, além de que seria impossível que se atasse daquela maneira, estabeleceu-se que a letra do cartão diferia radicalmente da de Rozaine, assemelhando-se, ao contrário, a ponto de parecer a mesma, à de Arsène Lupin, tal como a reproduzia um velho jornal achado a bordo.

De modo que Rozaine não era mais Arsène Lupin. Rozaine era Rozaine, filho de um comerciante de Bordéus! E a presença de Arsène Lupin se confirmou de novo, e por esse ato formidável!

Foi o terror. Ninguém ousava mais ficar sozinho na cabina, nem se aventurar a lugares afastados. Cautelosamente, todos se uniam a grupos de pessoas certas umas das outras. E ainda uma desconfiança instintiva dividiu os mais íntimos. É que a ameaça já não provinha de um indivíduo isolado e por isso mesmo menos perigoso. Arsène Lupin agora era... era todo mundo. Nossa imaginação excitada lhe atribuía um poder miraculoso e ilimitado. Supunha-se que fosse capaz de empregar os disfarces mais inesperados, de ser ora o respeitável Major Rawson, ora o nobre Marquês de Raverdan, pois não se parava mais na inicial acusadora, esta ou aquela pessoa de todos conhecida e tendo mulher, filhos e criados.

As primeiras mensagens sem fio não trouxeram nenhuma notícia. Pelo menos o comandante nada comunicou, e tal silêncio não era tranquilizador.

Assim, o último dia pareceu interminável. Vivia-se na expectativa ansiosa de um desastre. Desta vez não seria o furto nem uma simples agressão, seria assassinato. Não se admitia que Arsène Lupin se contentasse com aqueles dois roubos insignificantes. Senhor absoluto do navio, com as autoridades reduzidas à impotência, faria o que desejasse, tudo lhe era permitido, disporia dos bens e das existências.

Horas deliciosas para mim, confesso, pois me valeram a confiança de Miss Nelly. Impressionada por tantos acontecimentos e já inquieta de natureza, procurou espontaneamente proteção junto a mim, uma segurança que eu tive o prazer em lhe oferecer.

No fundo, abençoava Arsène Lupin. Não fora ele quem nos aproximara? Não era graças a ele que podia me abandonar aos mais belos sonhos? Sonhos de amor e sonhos menos quiméricos, por que não confessar? Os Andrézy são de boa estirpe do Poitou, mas seu brasão anda um pouco descolorido e não me parecia indigno dum cavalheiro pensar em devolver ao seu nome o brilho perdido.

Esses sonhos, senti que não ofenderam Nelly. Seus olhos sorridentes me autorizavam a tê-los. A doçura de sua voz me dizia que esperasse.

E até o último momento, encostados na grade, permanecemos juntos, enquanto a linha da costa americana navegou à nossa frente.

As buscas tinham cessado. Aguardava-se. Da primeira classe aos conveses onde os emigrantes se enxameavam, aguardávamos o minuto supremo em que o insolúvel enigma teria explicação. Quem era Arsène Lupin? Sob que nome, sob que máscara se ocultava o famoso Arsène Lupin?

E o minuto supremo chegou. Vivesse eu cem anos, não esqueceria o menor detalhe.

— Como está pálida, Miss Nelly — disse à minha companheira, que se apoiava em meu braço, desfalecente.

— E você! Ah, está tão mudado! — respondeu-me.

— Pense! Este minuto é apaixonante e estou contente em vivê-lo a seu lado, Miss Nelly. Parece-me que sua memória se demorará às vezes...

Ela não estava ouvindo, parecia ofegante e febril. A passarela baixou. Mas antes de termos a liberdade de atravessá-la, mais pessoas embarcaram, funcionários da alfândega, homens uniformizados, carteiros.

Miss Nelly gaguejou:

— Se Arsène Lupin escapou durante a travessia, não ficarei surpresa.

— Preferiu talvez a morte à desonra, e mergulhar no Atlântico a ser preso.

— Não ria — disse contrariada.

De repente estremeci e, como ela perguntou o que era, disse-lhe:

— Está vendo esse homenzinho maduro, de pé, perto da escada?

— De guarda-chuva e sobrecasaca verde-oliva?

— É Ganimard.

— Ganimard?

— Sim, o célebre policial, que jurou prender pessoalmente Arsène Lupin. Ah! Entendo por que não houve informações deste lado do oceano. Ganimard estava aqui, e não gosta que ninguém se meta em seus pequenos casos.

— Então é certo que pegarão Arsène Lupin?

— Quem pode dizer? Ganimard nunca o viu, senão caracterizado e disfarçado. A menos que saiba o nome que está usando...

— Ah! — exclamou, com aquela curiosidade um pouco cruel da mulher — se eu pudesse testemunhar essa prisão!

— Paciência. Certamente Arsène Lupin já notou a presença do seu inimigo e vai sair entre os últimos, quando os olhos do velho estiverem cansados.

Começou o desembarque. Apoiado em seu guarda-chuva, com um ar de indiferença, Ganimard não parecia prestar atenção ao povo que se comprimia entre as duas balaustradas. Observei que um oficial de bordo, postado atrás dele, o informava de tempos em tempos.

O Marquês de Raverdan, o Major Rawson, o italiano Rivolta passaram, e outros, muitos outros... Percebi que Rozaine se acercava.

Pobre Rozaine! Não parecia recuperado de seus infortúnios.

— Talvez seja ele, apesar de tudo — disse-me Miss Nelly. — Que acha?

— Acho que seria muito interessante reunir numa mesma fotografia Ganimard e Rozaine. Pegue a minha máquina, está carregada.

Dei-a, mas tarde demais para que pudesse usá-la. Rozaine passava. O oficial se inclinou ao ouvido de Ganimard, que deu de ombros suavemente, e Rozaine passou.

Mas então, meu Deus, quem era Arsène Lupin?

— Sim — disse ela em voz alta. — Quem é?

Não havia senão uma vintena de pessoas, que ela observava com o receio confuso de que ele não estivesse entre esses vinte. Disse-lhe:

— Não podemos aguardar mais tempo.

Ela se adiantou e eu a segui. Não tínhamos dado dez passos e Ganimard nos barrou a passagem.

— Que isso? — protestei.

— Um momento, senhor, está apressado?

— Estou acompanhando a *mademoiselle*.

— Um momento — repetiu com voz mais imperiosa.

Encarou-me profundamente e logo me disse, com os olhos nos meus:

— Arsène Lupin, não é?

Comecei a rir.

— Não, Bernad d'Andrézy, apenas.

— Bernard d'Andrézy morreu há três anos na Macedônia.

— Se Bernard d'Andrézy tivesse morrido, eu não seria mais deste mundo. E não é o caso. Eis os meus documentos.

— São os dele. Como estão com você é o que terei prazer de saber.

— Mas está louco! Arsène Lupin embarcou sob o nome de R...!

— Sim, uma artimanha sua, uma pista falsa lançada pelos franceses! Ah! Você é duma bela audácia, seu gozador. Mas desta vez a sorte mudou. Vamos, Lupin, mostre-se bom jogador.

Hesitei um segundo. Com um golpe seco me bateu no antebraço direito. Soltei um grito de dor. Ele tinha atingido a ferida ainda mal fechada, como indicava o telegrama. Era preciso resignar-me. Virei-me para Miss Nelly, que escutava lívida e insegura.

Seu olhar encontrou o meu e olhou logo para a Kodak que lhe entregara. Fez um gesto brusco e tive a impressão, a certeza de que de repente havia entendido. Sim, estavam lá, entre as estreitas paredes de couro preto, dentro do pequeno objeto que eu tivera a precaução de deixar em suas mãos antes que Ganimard me prendesse, os vinte mil francos de Rozaine, as pérolas e os diamantes de Lady Jerland.

Ah, juro, neste instante solene, enquanto Ganimard e dois de seus ajudantes me cercavam, tudo me foi indiferente, a prisão, a hostilidade das pessoas, tudo, fora isto: a decisão que ia tomar Miss Nelly a propósito do que lhe havia entregado.

Não pensei sequer em recear que tivessem contra mim aquela prova material e decisiva, mas se Miss Nelly se decidiria a fornecê-la. Eu seria traído por ela? Estaria perdido? Agiria como uma inimiga que não perdoa ou como uma mulher que se lembra e cujo desprezo se suaviza com um pouco de indulgência, um pouco de simpatia involuntária?

Ela passou diante de mim. Cumprimentei-a discretamente, sem uma palavra. Em meio a outros viajantes, dirigiu-se para a escada, com minha Kodak na mão.

Sem dúvida, pensei, que ela não ousaria entregar em público. Mas dentro de uma hora, de um instante, ela a entregará.

Chegando, porém, à metade da escada, num movimento de inépcia simulada, deixou-a cair na água, entre o cais e o costado do navio. Depois afastou-se.

Sua linda figura se perdeu na multidão, apareceu de novo e sumiu. Acabou, acabou, para sempre.

Por um instante permaneci imóvel, triste e ao mesmo tempo invadido por um doce enternecimento. Depois suspirei, para grande surpresa de Ganimard:

— Que pena, afinal, não ser um homem honesto...

Então, uma noite de inverno, Arsène Lupin me contou a história de sua prisão. Incidentes casuais, que um dia hei de narrar, criaram laços entre nós dois, talvez de amizade. Ouso acreditar que Arsène Lupin me honra com alguma amizade, e que é por amizade que ele às vezes chega em minha casa inesperadamente, trazendo, no silêncio do meu escritório, sua alegria juvenil, o esplendor de sua vida ardente, seu bom humor como homem para quem o destino só tem favores e sorrisos.

Seu retrato? Como poderia fazê-lo? Vinte vezes vi Arsène Lupin e vinte vezes foi um ser diferente que me apareceu, ou antes, o mesmo ser de que vinte espelhos me teriam dado outras tantas imagens deformadas, cada uma com uns olhos diferentes, uma forma de rosto, um gesto, um vulto, um caráter próprio.

— Eu mesmo — disse-me ele — não sei mais quem sou. Num espelho, não me reconheceria.

Certo que é paradoxo, mas realidade do ponto de vista daqueles que o encontram e ignoram seus recursos infinitos, sua paciência, sua arte da maquilagem, sua prodigiosa faculdade de transformar as proporções da face, alterando inclusive a relação de suas características entre si.

— Por que — disse ele ainda — hei de ter uma aparência definida? Por que não evitar o perigo duma personalidade sempre igual? Meus atos já me revelam bastante.

E especificava com uma ponta de orgulho:

— Tanto melhor que não possam nunca dizer com certeza:

"*Eis aqui Arsène Lupin*". *O essencial é que digam sem medo de errar:* "*Arsène Lupin fez isso*".

São alguns desses atos, algumas dessas aventuras que procuro reconstituir, segundo as confidências que teve a gentileza de me fazer, em noites de inverno, no silêncio do meu gabinete de trabalho...

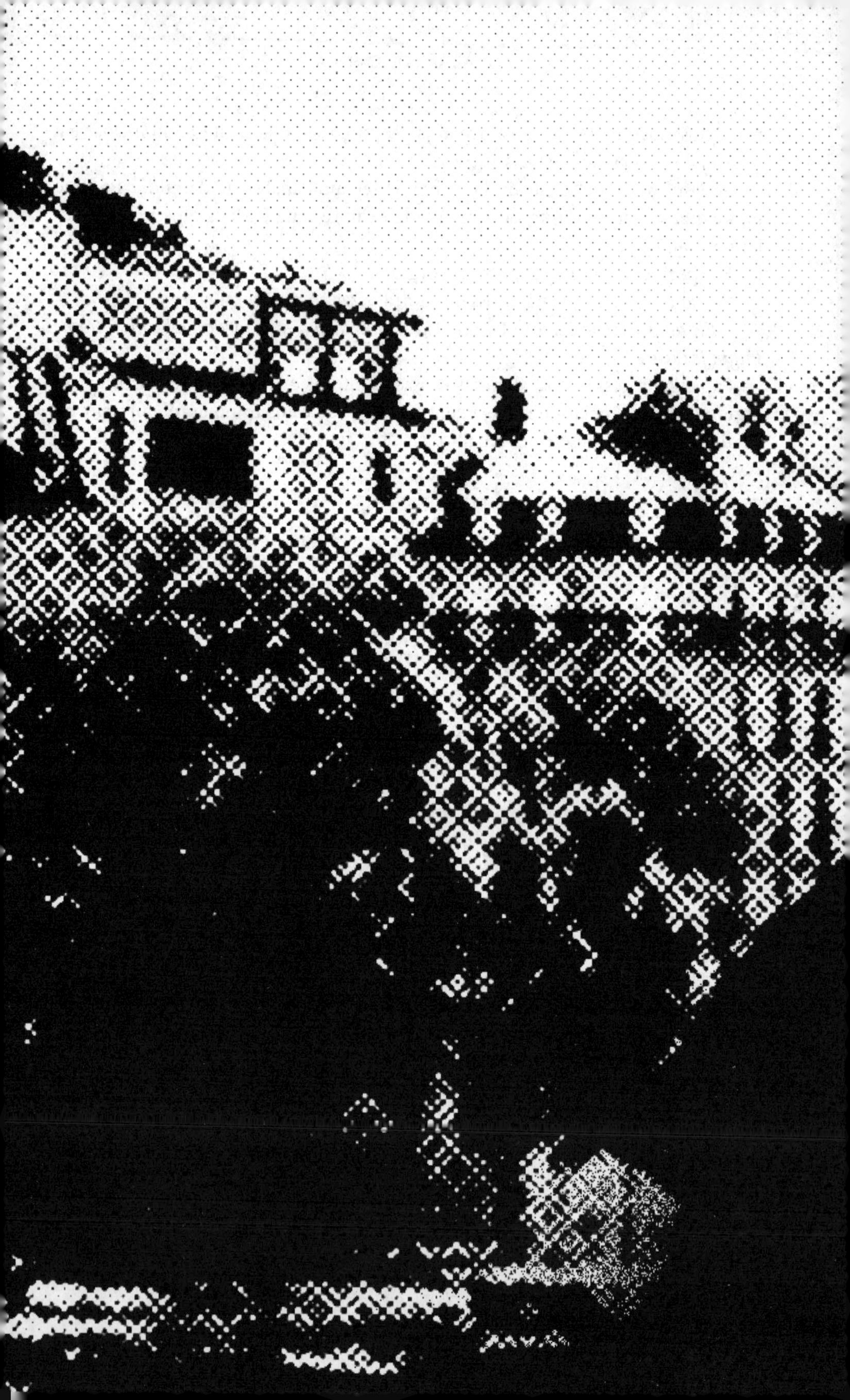

ARSÈNE LUPIN NA CADEIA

Não há turista digno de ser chamado assim que não conheça as margens do rio Sena, e que não percebeu, indo das ruínas de Jumièges às ruínas de Saint--Wandrille, o estranho pequeno castelo feudal de Malaquis, tão orgulhosamente erguido em sua rocha, no meio do rio? A arcada de uma ponte o conecta à estrada. A base de suas torres escuras é confundida com o granito que a sustenta, enorme bloco destacado de alguma montanha e lançado lá por alguma incrível convulsão.

Por toda parte, as águas calmas do grande rio brincam entre os juncos, e as lavandeiras tremulam sobre os seixos úmidos.

A história de Malaquis é tão dura quanto seu nome, tão rústica quanto sua silhueta. Batalhas, cercos, assaltos, saques e massacres. Nas vigílias do Pays de Caux, evocam com estremecimento os crimes cometidos lá. Lendas misteriosas são contadas. Contam sobre a famosa passagem subterrânea que uma vez ligava à Abadia de Jumièges e à mansão de Agnès Sorel, a bela amiga de Carlos VII.

Neste antigo covil de heróis e bandidos vive o barão Nathan Cahorn, o barão Satã, como antes o chamavam na Bolsa, na qual enriqueceu repentinamente. Os senhores do Malaquis, arruinados, tiveram de lhe vender, por um pedaço de pão, o que restou de seus ancestrais. Instalou aí suas coleções admiráveis de móveis e quadros, de faianças e madeiras entalhadas, e aí mora isolado, com seus três empregados. Ninguém entra mais no castelo nem nunca contemplou o cenário dessas salas antigas, os três Rubens que ele possui, seus dois Watteau, sua cadeira de Jean Goujon, e tantas outras maravilhas arrancadas pela força do dinheiro dos mais ricos frequentadores dos leilões públicos.

O barão Satã tem medo. Não por si, mas pelos tesouros acumulados com uma paixão tão tenaz e uma perspicácia tão grande de amador, que os mais astutos vendedores não podem se vangloriar de ter induzido em erro. Ele ama esses tesouros com a ganância de um avaro e o ciúme de um enamorado.

Todos os dias, ao pôr do sol, as quatro portas reforçadas com ferros, que dão para as duas extremidades da ponte e a entrada do pátio principal, são fechadas e aferrolhadas. Ao menor choque, campainhas elétricas soariam no silêncio. Do lado do Sena, nada a temer: o rochedo se ergue a pique.

No entanto em uma sexta-feira de setembro, o carteiro se apresentou como de costume à cabeça da ponte, e, segundo a regra cotidiana, foi o barão que entreabriu uma fresta da pesada porta.

Examinou o homem tão minuciosamente como se não conhecesse, há anos, aquela boa cara alegre com olhos finórios de camponês, e o homem lhe disse rindo:

— Sou eu, senhor barão, — não um outro que estivesse usando a minha blusa e o meu boné.

— Nunca se sabe — sussurrou Cahorn.

O carteiro lhe entregou uma pilha de jornais e acrescentou:

— Agora, senhor barão, há algo de novo.

— Novo?

— Uma carta... e registrada, além de tudo.

Isolado, sem amigos ou alguém que por ele se interessasse, o barão não recebia cartas, e imediatamente aquilo lhe pareceu um fato de mau agouro, dando lugar à preocupação. Quem seria o misterioso correspondente que vinha alcançá-lo em seu retiro?

— É preciso assinar, senhor barão.

Assinou resmungando. Pegou a carta, esperou que o carteiro desaparecesse na volta da estrada e, tendo dado alguns passos, apoiou-se contra o parapeito da ponte e rasgou o envelope. Dentro havia uma folha de papel quadriculado com um cabeçalho manuscrito: Prison de la Santé, Paris. Olhou a assinatura: Arsène Lupin. Estupefato, leu:

Senhor barão,

Há, na galeria que une seus dois salões, um quadro de Philippe de Champaigne de execução excelente e que me agrada muitíssimo. Seus Rubens são também do meu agrado, tanto quanto o Watteau menor. No salão da direita, destaco o aparador Luís XIII, as tapeçarias de Beauvais, o pedestal do Império assinado por Jacob e o baú Renascença. No da esquerda, toda a vitrine de vidro das joias e miniaturas.

Por esta vez me contentarei com esses objetos, que serão, creio, de fácil fluxo. Peço-lhe, pois, que os embale adequadamente e envie em meu nome, com porte pago, para a estação de Batignolles, antes de oito dias. Se isso não for feito, eu próprio os deslocarei na noite de quarta-feira, 27, ou quinta, 28 de setembro, e, como é justo, não me contentarei com os objetos que não os acima indicados.

Queira desculpar o pequeno incômodo que lhe causo e aceite a expressão de meus sentimentos de respeitosa consideração.

Arsène Lupin

P.S. — Sobretudo não me envie o Watteau maior. Embora tenha pago por ele trinta mil francos na Auction House, não passa de uma cópia, tendo sido o original queimado, durante o Diretório, por Barras, numa noite de orgia. Consulte as memórias inéditas de Garrat.

Não faço questão também da corrente com pedras Luís XV, cuja autenticidade me parece duvidosa.

Esta carta alarmou o barão Cahorn. Assinada por qualquer outro, já o teria incomodado, mas por Arsène Lupin!...

Leitor regular dos jornais, a par de tudo o que ocorria no mundo a propósito de roubo e crime, nada ignorava das façanhas do infernal ladrão. Por certo sabia que Lupin, preso na América por seu inimigo Ganimard, estava definitivamente encarcerado, e que tratavam de instruir o seu processo — com que trabalho! Mas sabia também que se podia esperar tudo dele. Aquele conhecimento exato do castelo, da disposição dos quadros e dos móveis, era um indício dos mais temíveis. Quem o informara sobre coisas que ninguém havia visto?

O barão ergueu os olhos e olhou para a figura feroz do Malaquis, seu pedestal íngreme, as águas profundas que o rodeiam, e encolheu os ombros. Não, definitivamente não havia perigo. Ninguém no mundo poderia entrar no santuário inviolável de suas coleções.

Ninguém no mundo, sim, mas e Arsène Lupin? Para ele existiriam portas, pontes levadiças, muralhas? De que serviam os obstáculos mais bem imaginados, as precauções mais hábeis, se Arsène Lupin resolvera atingir o objetivo?

Na mesma noite escreveu ao promotor público em Rouen. Remetia a carta de ameaças e reclamava ajuda e proteção.

A resposta não demorou:

"Estando o citado Arsène Lupin atualmente detido na Santé, sob estrita vigilância e impossibilitado de escrever, a carta só podia ser obra de um mistificador. Tudo o

demonstrava, a lógica e o bom senso, assim como a realidade dos fatos. Contudo, por excesso de prudência, tinha-se mandado um perito examinar a letra e ele declarou que, apesar de certas analogias, a letra não é a do detido."

"Apesar de certas analogias" O barão não reteve senão essas quatro palavras assustadoras, onde via a confissão de uma dúvida que, por si, deveria bastar para que a justiça interviesse. Seus receios se exasperaram. Não cessava de reler a carta: "eu próprio os deslocarei", e aquela data precisa: na noite de quarta-feira, 27, ou quinta, 28 de setembro!...

Desconfiado e taciturno, não ousara se abrir com os servos, cujo devotamento não lhe parecia a toda prova. No entanto, pela primeira vez em anos sentia a necessidade de falar, ser aconselhado. Abandonado pela justiça do seu país, teria de se defender com seus próprios recursos, e esteve a ponto de ir a Paris, implorar a assistência de algum policial experiente.

Dois dias se passaram. No terceiro dia, lendo os jornais, estremeceu de contentamento. Le Réveil de Caudebec publicava este artigo:

"Temos o prazer de registrar a presença, em nossa cidade, há quase três semanas, do inspetor Ganimard, um dos veteranos do serviço da Sûreté. Sr. Ganimard, a quem a prisão de Arsène Lupin, sua última façanha, deu uma reputação europeia, descansa de suas pesadas tarefas perseguindo peixes e pássaros."

Ganimard, eis o auxiliar que o barão Cahom procurava! Quem melhor que o manhoso e paciente Ganimard saberia desfazer os projetos de Lupin?

O barão não hesitou. Seis quilômetros separam o castelo da cidadezinha de Caudebec. Como alguém animado pela esperança de salvação, ele os transpôs em passos animados.

Depois de várias tentativas malsucedidas para saber o endereço do inspetor, dirigiu-se ao escritório do Réveil, na parte do cais. Encontrou o redator do artigo, que, chegando à janela, gritou:

— Ganimard? Pode estar certo de achá-lo aí pelo cais com uma linha na mão. Foi assim que falei com ele e li por acaso seu nome gravado num caniço de pescar. Olhe, é o velhote que se vê lá embaixo, sob as árvores no passeio.

— De casaco e chapéu de palha?

— Isso! Ah, um cara engraçado para conversar, e bem rude.

Cinco minutos depois, o barão abordava o célebre Ganimard, apresentando-se e buscando puxar conversa. Não conseguindo, falou diretamente da questão e expôs seu caso.

O outro escutou, imóvel, sem perder de vista o peixe que estava perseguindo. Enfim, virou a cabeça para ele, mediu-o de alto a baixo com ar de profunda piedade e pronunciou:

— Senhor, não é costume prevenir as pessoas que se quer despojar. Arsène Lupin, especialmente, não cometeria tal deslize.

— No entanto...

— Senhor, se eu tivesse a mínima dúvida, acredite que o prazer de prender outra vez esse caro Lupin superaria qualquer outra consideração. Infelizmente, esse jovem está atrás das grades.

— Se fugir?...

— Não se foge da Santé.

— Mas ele...

— Ele não mais que outro qualquer.

— No entanto...

— Pois bem, se fugir, tanto melhor, eu o agarrarei de novo. Enquanto isso, durma tranquilo e não me espante mais este peixe.

A conversa tinha terminado. O barão voltou para casa, até certo ponto mais tranquilo com a despreocupação de Ganimard. Verificou as fechaduras, espionou os criados, e quarenta e oito horas se passaram em que chegou quase a se persuadir de que, em suma, seus receios eram irreais. Sem dúvida, como tinha dito Ganimard, não se alerta a quem se deseja roubar.

A data se aproximava. Na manhã de terça-feira, véspera do dia 27, nada de especial. Mas às três da tarde um menino tocou a campainha. Trazia um telegrama:

"Nenhuma encomenda na estação de Batignolles. Prepare tudo para amanhã à noite.
Arsène."

Entrou em pânico outra vez, a ponto de se perguntar se não seria melhor ceder às exigências de Arsène Lupin.

Correu a Caudebec. Ganimard pescava no mesmo lugar, sentado num banquinho desmontável. Sem uma palavra, mostrou-lhe o telegrama.

— E daí? — disse o inspetor.

— Daí? Mas é para amanhã!

— O quê?

— O furto! A pilhagem de minhas coleções!

Ganimard largou sua linha, virou-se para ele e, com os dois braços cruzados sobre o peito, exclamou com impaciência:

— Ah! Isso! O senhor imagina que vou me ocupar com uma história tão estúpida?

— Qual a compensação que deseja para ficar no castelo durante a noite de 27 a 28 de setembro?

— Nem um centavo, deixe-me em paz.

— Defina o seu preço, sou rico, muito rico.

A brutalidade da oferta desconcertou Ganimard, que prosseguiu mais calmo:

— Estou aqui de férias e não tenho o direito de me meter...
— Ninguém saberá. Eu me comprometo, aconteça o que acontecer, a guardar silêncio.
— Oh! Não acontecerá nada.
— Bem, vejamos, três mil francos bastam?
O inspetor cheirou rapé, refletiu e anunciou:
— Seja. Apenas devo lhe declarar honestamente que é dinheiro jogado pela janela.
— Não me importa.
— Nesse caso... E afinal, o que se sabe desse demônio do Lupin! Deve ter às suas ordens todo um bando... Tem confiança em seus criados?
— Até certo ponto.
— Então não contemos com eles. Vou chamar pelo telégrafo dois dispostos amigos meus, que nos darão mais segurança... E agora ande, para que não nos vejam juntos. Até amanhã, pelas nove horas.

No dia seguinte, data marcada por Arsène Lupin, o barão Cahorn preparou sua armadura, poliu suas armas e passeou em volta do Malaquis, sem vislumbrar nada de equívoco.

* * *

À noite, às oito e meia, dispensou os criados. Eles moravam em uma ala de frente para a estrada, mas um pouco para trás e bem no fim do castelo. Uma única vez, abriu docemente as quatro portas. Decorrido um tempo, escutou passos que se aproximavam.

Ganimard apresentou seus dois auxiliares, rapazes altos e robustos, com pescoço taurino e mãos fortes, e a seguir pediu certas explicações. Tendo-se dado conta da disposição das peças, fechou cuidadosamente e barricou todas as saídas pelas quais se pudesse entrar nas salas ameaçadas. Inspecionou as paredes, ergueu os tapetes, e colocou enfim seus agentes na galeria central.

— Sem bobagens, hein? Não estamos aqui para dormir. Ao menor alerta, abram as janelas do pátio e me chamem. Prestem também atenção ao lado da água. Demônios do calibre dele não se assustam com dez metros de penhasco.

Fechou-os, levou as chaves e disse ao barão:

— Agora, ao nosso posto.

Uma pequena sala na espessura das paredes circundantes, entre as duas principais, e que era outrora o reduto do vigia foi reservada para passar a noite. Uma abertura dava para a ponte, outra para o pátio. Num canto se notava um orifício como o de um poço.

— Não me disse, senhor barão, que este poço era a única entrada dos subterrâneos e que há muitíssimo tempo foi tapado?

— Sim.

— De modo que, a menos que exista uma outra saída desconhecida de todos, salvo de Arsène Lupin, o que parece bem problemático, estamos tranquilos.

Ele enfileirou três cadeiras, estendeu-se confortavelmente, acendeu seu cachimbo e suspirou:

— Realmente, senhor barão, foi preciso que eu estivesse louco para aumentar um andar na casinha em que devo terminar meus dias para aceitar uma tarefa tão simples. Contarei a história ao amigo Lupin. Ele vai segurar suas costelas de tanto rir.

O barão não ria. Com os ouvidos atentos, interrogava o silêncio com crescente inquietação. De vez em quando, inclinava-se sobre o poço e mergulhava no buraco um olhar ansioso.

Bateram onze horas, meia-noite, uma hora.

O barão subitamente pegou o braço de Ganimard, que despertou num sobressalto.

— Está ouvindo?

— Sim.

— Que é isso?

— Sou eu que estava roncando!

— Não, ouça...

— Ah, realmente, é o ruído de um automóvel.

— E então?

— Então é pouco provável que Lupin se sirva de um automóvel como de um aríete para demolir o seu castelo. Assim, senhor barão, no seu lugar, eu dormiria... como vou ter a honra de voltar a fazer. Boa noite.

Foi o único alerta. Ganimard pôde retomar seu sono interrompido, e o barão não ouviu mais que o seu ronco sonoro e regular.

Ao amanhecer, saíram da sala. Uma grande paz serena, a paz da manhã à beira da água fresca, envolvia o castelo. Cahorn, radiante de alegria, e Ganimard, sempre tranquilo, subiram a escada. Nenhum ruído. Nada de suspeito.

— Que lhe tinha dito, senhor barão? No fundo, não devia ter aceitado, estou envergonhado...

Pegou as chaves e entrou na galeria. Em duas cadeiras, curvados, com os braços caídos, os dois agentes dormiam.

— Diabos os levem! — rosnou o inspetor. Ao mesmo tempo o barão dava um grito:

— As pinturas! ... o aparador! ...

Ele gaguejava sufocado, com a mão estendida para os lugares vazios, para as paredes nuas onde os pregos apontavam, onde as cordas estavam penduradas inúteis. O Watteau foi embora! O Rubens, sequestrado! As tapeçarias, desenganchadas! As vitrines esvaziadas de suas joias!

— E meus candelabros Luís XVI!... E o castiçal do Regente!... E a minha Virgem do século VII!...

Ele corria de um lugar a outro, perplexo, desesperado. Lembrava os preços que pagara, somava as perdas sofridas, acumulava cifras, tudo isso misturado, em palavras indistintas, frases inacabadas. Sapateava e entrava em convulsões, louco de raiva e de dor. Parecia um homem arruinado, a quem só restasse dar um tiro na cabeça.

Se alguma coisa pudesse consolá-lo, teria sido ver o espanto de Ganimard. Ao contrário do barão, o inspetor não se movia. Dir-se-ia petrificado, e com um olhar vago examinava as coisas. As janelas? Fechadas. As fechaduras das portas? Intactas. Nenhuma brecha no forro ou buraco no soalho. A ordem era perfeita. Tudo isso deveria ter sido executado metodicamente, segundo um plano inexorável e lógico.

— Arsène Lupin... Arsène Lupin — murmurou, desfeito.

De repente saltou sobre os dois agentes, como se a cólera enfim o sacudisse, empurrou-os furiosamente e injuriou-os. Não tinham acordado!

— Diabo — disse —, será que por acaso?... Inclinou-se sobre eles e observou um e outro com atenção: dormiam, mas um sono que não era natural.

Disse ao barão:

— Fizeram que dormissem.

— Mas quem?

— Ah, ele, por Deus!... Ou o seu bando, mas sob a direção dele. É um golpe no seu estilo. Sente-se a sua garra.

— Nesse caso estou perdido, não há mais nada a fazer.

— Nada a fazer.

— Mas é detestável, monstruoso.

— Apresente uma queixa.

— Para quê?

— Ora! Tente. A justiça tem recursos.

— A justiça! Mas está vendo por si mesmo... Repare: neste instante, em que poderia procurar um indício, descobrir alguma coisa, nem o senhor mesmo se move.

— Descobrir algo com Arsène Lupin! Meu caro senhor, Arsène Lupin não deixa nada atrás de si. O acaso não existe para ele. Eu me pergunto se não foi deliberadamente que se fez prender por mim na América!

— Então, devo desistir de meus quadros, de tudo! Mas são as pérolas da minha coleção que ele levou! Daria uma fortuna para recuperá-las. Se não se pode nada contra ele, que diga o seu preço!

Ganimard o olhou fixamente.

— Essa é uma atitude sensata. Não vai mudar de ideia?

— Não, não, não. Mas por quê?

— Por uma ideia que tive.

— Qual?

—.Voltaremos a falar nisso, se o inquérito não chegar a nada. Apenas, nenhuma palavra sobre mim, se quiser que eu tenha êxito.

Acrescentou entre dentes:

— Além disso, eu em verdade não tenho do que me gabar.

Os dois agentes recuperaram a consciência pouco a pouco, com esse ar atordoado dos que saem dum sono hipnótico. Abriam os olhos pasmados e procuravam entender. Quando Ganimard os interrogou, não se lembravam de nada.

— Tinham de ter visto alguém, no entanto.
— Não.
— Lembram-se?
— Não, não.
— E não beberam? Refletiram, e um deles respondeu:
— Sim, bebi um pouco d'água.
— Desta jarra?
— Sim.
— Eu também — declarou o segundo.

Ganimard a cheirou e provou. Não tinha nenhum gosto especial, nenhum odor.

— Vamos — afirmou —, estamos perdendo tempo. Não é em cinco minutos que se resolvem os problemas colocados por Arsène Lupin. Mas, com os diabos, juro que o prenderei de novo. Ele ganhou essa batalha, mas não a guerra.

No mesmo dia, uma queixa de roubo qualificado era apresentada pelo barão Cahorn contra Arsène Lupin, detido na Santé!

O barão muitas vezes se arrependeu de ter feito a queixa ao ver o Malaquis entregue aos policiais, ao promotor, ao juiz de instrução, aos jornalistas, a todos os curiosos que se insinuam em toda parte em que não deveriam estar.

O caso entusiasmou a opinião pública. Apresentava em circunstâncias tão incomuns, e o nome de Arsène Lupin excitava tanto as imaginações, que as histórias mais fantasiosas preencheram as colunas dos jornais e encontravam crédito junto ao público.

Mas a carta inicial de Arsène Lupin — que o *Écho de France* publicou sem que ninguém nunca ficasse sabendo quem lhe enviara o texto, a carta em que o barão Cahorn era descaradamente alertado do que o ameaçava, causou considerável emoção. De imediato fabulosas explicações surgiram. Recordou-se a existência dos famosos subterrâneos, e a polícia, influenciada, dirigiu suas buscas nesse sentido.

Vasculharam o castelo de alto a baixo. Desconfiavam de cada pedra. Estudavam os lambris e as chaminés, as esquadrias dos vidros e as traves dos forros. À luz de tochas, examinaram as vastas adegas, onde os senhores do Malaquis antigamente amontoavam suas munições e provisões. Sondaram as entranhas do rochedo. Tudo em vão. Não se achou o menor vestígio de subterrâneo, nem existia passagem secreta.

Com certeza móveis e quadros não desaparecem como fantasmas. Passam por portas ou janelas, e as pessoas que deles se apossam entram e saem igualmente por portas e janelas. Quem eram essas pessoas? Como se introduziram no castelo, como foram embora?

O ministério público de Rouen se convenceu de que não podia sozinho com o caso e solicitou o auxílio de agentes parisienses. Sr. Dudouis, o chefe da Sûreté, enviou seus melhores peritos, e ele próprio passou quarenta e oito horas no Malaquis. Não descobriram nada.

Chamou então à sua presença o inspetor Ganimard, de que tinha tantas vezes tido a oportunidade de apreciar os serviços.

Ganimard escutou em silêncio as instruções do superior e a seguir, oscilando a cabeça, afirmou:

— Julgo que estão no caminho errado teimando em vasculhar o castelo. A solução está em outra parte.

— Onde?

— Junto a Arsène Lupin.

— Junto a Lupin! Supor isso é admitir sua intervenção.

— Eu admito. E mais, a considero como certa.

— Vamos, Ganimard, isso é absurdo. Arsène Lupin está na prisão.

— Na prisão, sim. Vigiado, concordo. Mas, mesmo que tivesse ferros nos pés, cordas nos pulsos e uma mordaça na boca, eu não mudaria de parecer.

— E a razão para se obstinar assim?

— Porque apenas Arsène Lupin é capaz de planejar uma ação desse porte, e executar de tal maneira que tivesse êxito... como teve.

— Palavras, Ganimard!

— Que são realidades. Em suma, que não se busquem subterrâneos, pedras girando sobre pivôs e outras bobagens desse calibre. Nosso homem não emprega processos tão antiquados. É de hoje, ou antes, de amanhã.

— E o que conclui daí?

— Concluo solicitar-lhe claramente a autorização de passar uma hora com ele.

— Em sua cela?

— Sim. De volta da América estabelecemos, durante a travessia, excelentes relações, e ouso afirmar que tem alguma simpatia por aquele que conseguiu prendê-lo. Se puder me informar sem se comprometer, não hesitará em me evitar uma viagem inútil.

Era um pouco depois do meio-dia quando Ganimard foi introduzido na cela de Arsène Lupin. Este, deitado, ergueu a cabeça e soltou um grito de alegria.

— Ah, que surpresa... o nosso querido Ganimard aqui!

— Ele mesmo.

— Desejava muitas coisas no retiro que escolhi, mas nenhuma mais ardentemente do que nele recebê-lo.

— É gentil demais.

— Mas não é gentileza, a verdade é que tenho por você uma grande estima.

— Eu me orgulho por isso.

— Sempre achei que você, Ganimard, era o nosso melhor detetive, muito parecido com Sherlock Holmes. Fico chateado de só poder lhe oferecer este banquinho. E nem mesmo um refresco, um copo de cerveja. Desculpe, mas estou aqui de passagem.

Ganimard se sentou sorrindo, e o prisioneiro prosseguiu, feliz por falar:

— Meu Deus, como estou feliz em descansar os olhos no rosto de um homem honesto! Não aguento mais essas caras de espiões e delatores que passam revista dez vezes por dia em meus bolsos e em minha modesta cela, para ter certeza de que não estou preparando uma fuga. Puxa, como o governo se preocupa comigo!...

— E tem razão...

— Mas não. Seria tão feliz se me deixassem viver no meu cantinho!

— Com o dinheiro dos outros.

— Não é? Isso seria tão simples! Mas fico dizendo bobagens quando você talvez esteja com pressa.

Vamos ao que interessa, Ganimard! Que é que me valeu a honra de uma visita?

— O caso Cahorn — declarou Ganimard, sem rodeios.

— Alto lá! Um momento... Tenho tantos casos! Deixe-me primeiro procurar na minha cabeça os autos do caso Cahorn... Ah, aqui está: caso Cahorn, Castelo do Malaquis, parte baixa do Sena. Dois Rubens, um Watteau e alguns objetos miúdos.

— Miúdos!

— Oh, palavra, tudo isso é de menor importância. Há coisas muito melhores! Mas basta que o caso lhe interesse... Fale, Ganimard.

— Devo explicar-lhe em que ponto estamos da investigação do caso?

— É dispensável, li os jornais desta manhã. E até me permitiria dizer que não estão avançando depressa.

— É justamente a razão pela qual venho contar com a sua bondade.

— Às suas ordens.

— Em primeiro lugar isto: o assunto foi realmente orientado por você?

— De A a Z.

— A carta de aviso, o telegrama?

— São deste seu servidor. Devo ter mesmo em alguma parte os recibos postais.

Arsène abriu a gaveta duma mesinha de madeira-branca, que compunha, com a cama e o banco, todo o mobiliário da cela, pegou dois pedacinhos de papel e os estendeu a Ganimard.

— Ah, isso! — exclamou esse. — Mas eu o julgava sob estreita vigilância e revistado a todo momento. No entanto, você lê jornais, coleciona recibos do correio...

— Ah! Essas pessoas são tão estúpidas! Descosturam o forro da minha roupa, exploram a sola dos meus sapatos, auscultam as paredes desta peça, mas nenhum tem a ideia de que Arsène Lupin seja simplório a ponto de escolher um esconderijo tão fácil. Contei com isso.

Ganimard, divertido, bradou:

— Que diabo de rapaz! Você me desconcerta. Vamos, conte a aventura.

— Oh, oh... você anda muito depressa! Iniciá-lo nos meus segredos, revelar-lhe meus expedientes... é sério.

— Será que me enganei confiando em sua complacência?

— Não, Ganimard, e já que insiste...

Arsène Lupin percorreu duas ou três vezes o quarto e, detendo-se:

— Que acha da minha carta ao barão?

— Creio que você quis se divertir, impressionar um pouco o público.

— Ah, vejam só, surpreender o público! Pois bem, asseguro-lhe, Ganimard, que o julgava mais esperto. Acha que vou perder tempo com tais puerilidades, eu, Arsène Lupin? Teria escrito aquela carta, se pudesse furtar o barão sem ela? Têm de entender, você e os outros, que a carta é o ponto de partida indispensável, a mola que pôs a máquina em movimento. Vamos pela ordem e preparemos juntos, se quiser, o assalto do Malaquis.

— Estou ouvindo.

— Suponhamos um castelo rigorosamente fechado e defendido como era o do barão Cahorn. Devo abandonar a partida e renunciar a tesouros que cobiço, sob o pretexto de que o castelo que os contém é inacessível?

— Evidente que não.

— Devo tentar o assalto como antigamente, à frente duma tropa de aventureiros?

— Infantil!

— Devo me introduzir sorrateiramente?

— Impossível.

— Sobra um meio, o único, na minha opinião: fazer-me convidar pelo proprietário do castelo.

— O caminho é original.

— E que fácil! Imaginemos que um dia o mencionado proprietário receba uma carta, advertindo-o do que trama contra ele um sujeito chamado Arsène Lupin, reputado ladrão. Que fará?

— Mandará a carta ao promotor.

— Que zombará dele, já que o citado Lupin está atualmente preso. Portanto, o bom homem fica fora de si, capaz de pedir socorro ao primeiro que apareça, não é certo?

— Fora de dúvida.

— E se por acaso ler num jornalzinho qualquer que um policial célebre passa as férias na localidade vizinha...

— Correrá a esse policial.

— Você disse isso. Por outro lado, admitamos que, prevendo essa inevitável iniciativa, Arsène Lupin tenha pedido a um de seus mais hábeis amigos para se instalar em Caudebec e se relacionar com um redator do Réveil, jornal que o barão assina, deixando o jornalista concluir que é aquele conhecido policial; o que ocorreria?

— Que o homem anunciaria no Réveil a presença em Caudebec do aludido policial.

— Perfeito, e das duas uma: ou o peixe — quero dizer, Cahorn — não morde a isca e nada se passa ou então, e é a hipótese mais provável, acorre inquieto. E eis o meu Cahorn suplicando contra mim a assistência de um dos meus amigos.

— Cada vez mais original.

— É claro que o pseudopolicial recusa de início cooperar. Vem o telegrama de Arsène Lupin. Susto do barão, que implora de novo ao meu amigo, e lhe oferece um tanto para velar por sua imunidade. Meu amigo aceita; leva dois malandros do nosso bando, que, de noite, enquanto Cahorn é guardado à vista de seu protetor, transportam pela janela um certo número de objetos e os fazem descer, com a ajuda de cordas, a uma boa lanchinha fretada para isso. É simples como Lupin.

— E é tudo completamente maravilhoso — bradou Ganimard. — Nunca acabaria de elogiar a ousadia da concepção e a engenhosidade dos detalhes. Mas não vejo que policial seria tão conhecido para que seu nome pudesse atrair e sugestionar o barão a tal ponto.

— Existe um, e não mais que um.

— Qual?

— O mais notável, o inimigo pessoal de Arsène Lupin, em suma, o inspetor Ganimard.

— Eu!

— Você mesmo, Ganimard. E eis o delicioso: se você for até lá e o barão se decidir a falar, acabará descobrindo que seu dever é prender a você mesmo, como me prendeu na América! Que tal? A revanche é cômica: faço prender Ganimard por Ganimard!

Arsène Lupin ria abertamente. O inspetor, molestado, mordia os lábios. A brincadeira não lhe parecia merecer tal acesso de júbilo.

A chegada de um carcereiro lhe deu o tempo de se recompor. O homem trazia a refeição que Arsène Lupin, por favor especial, encomendara do restaurante mais perto. Deixando a bandeja na mesa, retirou-se. Arsène sentou-se, partiu o pão, deu duas ou três dentadas e prosseguiu:

— Mas fique tranquilo, caro Ganimard, não terá que ir lá. Vou lhe revelar uma coisa que o deixará assombrado: o caso Cahorn está à beira de ser arquivado.

— Hein?

— Arquivado, digo-lhe.

— Vamos, deixei há pouco o chefe da Sûreté...

— E daí? Será que Sr. Dudouis saberá mais que eu o que me diz respeito? Fique sabendo que Ganimard... desculpe... o falso Ganimard continua nos melhores termos com o barão. Este, e é o principal motivo por que nada confessou, encarregou-o da delicadíssima tarefa de negociar comigo uma transação, e neste momento, mediante certa soma, é provável que o barão tenha recuperado a posse de suas queridas miudezas. Compensando isso, retirará sua queixa. De modo que não há mais roubo, e será preciso que a justiça abandone o caso.

Ganimard encarou estupefato o detido.

— E como sabe disso tudo?

— Acabo de receber a mensagem que esperava.

— Recebeu uma mensagem?

— Neste instante, caro amigo. Por polidez, não a quis ler na sua presença. Mas se me autoriza...

— Você está caçoando de mim.

— Queira, caro amigo, decapitar suavemente este ovo cozido. Verá por si mesmo que não estou caçoando de você.

Maquinalmente, Ganimard obedeceu, quebrando o ovo com a lâmina duma faca. Um grito de surpresa lhe escapou. A casca vazia continha uma folha de papel azul. A pedido de Arsène, desdobrou-a. Era um telegrama, ou antes, a parte de um telegrama de que se tinham cortado as indicações postais. Leu:

"Acordo concluído. Cem mil bolas entregues. Tudo vai bem."

— Cem mil bolas?

— Sim, cem mil francos! É pouco, mas enfim os tempos estão difíceis... E tenho despesas gerais tão pesadas! Se você conhecesse meu orçamento... Um orçamento de cidade grande!

Ganimard se levantou. Seu mau humor desaparecera. Refletiu uns segundos, olhando em conjunto o caso para descobrir seu ponto fraco. Em seguida disse, num tom em que deixava francamente transparecer a sua admiração de experiente no assunto:

— Felizmente não existe uma dúzia como você, senão teríamos de mudar de profissão.

Arsène Lupin tomou um ar modesto e respondeu:

— Bem que era preciso me divertir um pouco, buscar lazeres... Ainda mais que se tratava de um golpe que não podia ter êxito se eu não estivesse preso.

— Como! — interrompeu Ganimard. — Seu julgamento, sua defesa, a investigação, tudo isso não basta para distraí-lo?

— Não, porque resolvi não assistir ao meu julgamento.

— Oh! Oh!

Arsène Lupin repetiu positivo:

— Não assistirei ao meu julgamento.

— Essa agora!

— Essa, meu caro. Imagina que vou apodrecer sobre a palha úmida?! Você me ofende. Arsène Lupin não fica na cadeia além do tempo que lhe agradar, e nem um minuto a mais.

— Teria sido mais prudente começar por não entrar nela — objetou o inspetor, irônico.

— Ah, graceja? Lembra que teve a honra de levar a efeito a minha prisão? Saiba, respeitável amigo, que ninguém, tanto você quanto qualquer outro, teria posto a mão em mim, se um interesse bem mais considerável não me tivesse solicitado naquele momento crítico.

— Você me surpreende.

— Uma mulher me olhava, Ganimard, e eu a amava. Entende tudo o que há no fato de ser olhado por uma mulher que se ama? O resto importava pouco, juro. E por isso estou aqui.

— Há bastante tempo, permita que observe.

— Primeiro, queria esquecer. Não ria: a aventura tinha sido cativante e eu conservava ainda a terna lembrança... Depois, sou um pouco neurastênico. A vida é tão febril em nossos dias! Cumpre, em certos momentos, saber o que se chama uma terapia de solidão. Este lugar é o máximo para tratamentos regimes dessa espécie.

— Arsène Lupin — observou Ganimard —, você está me julgando tolo.

— Ganimard — contestou ele —, estamos hoje na sexta-feira. Quarta que vem, irei fumar o meu charuto na sua casa, na Rue Pergolèse, às quatro da tarde.

— Estarei esperando, Arsène Lupin.

Apertaram as mãos como bons amigos que se estimam em seu justo valor, e o velho policial se dirigiu para a porta.

— Ganimard!

Este se voltou:

— Que foi?

— Esqueceu o seu relógio.

— Meu relógio?

— Sim, ele se perdeu no meu bolso. Entregou-o, desculpando-se:

— Perdoe... um mau hábito... Porque tiraram o meu, não é razão para que eu o prive do seu. Ainda mais que tenho aí um cronômetro de que não posso me queixar e que satisfaz plenamente minhas necessidades.

Tirou da gaveta um grande relógio de ouro, grosso e confortável, ornado com uma pesada corrente.

— E este, de que bolso veio? — perguntou Ganimard.

Arsène Lupin examinou descuidadamente as iniciais.

— J. B... Quem diabo poderia ser?... Ah!, sim, lembro, Jules Bouvier, o meu juiz de instrução, um homem cativante...

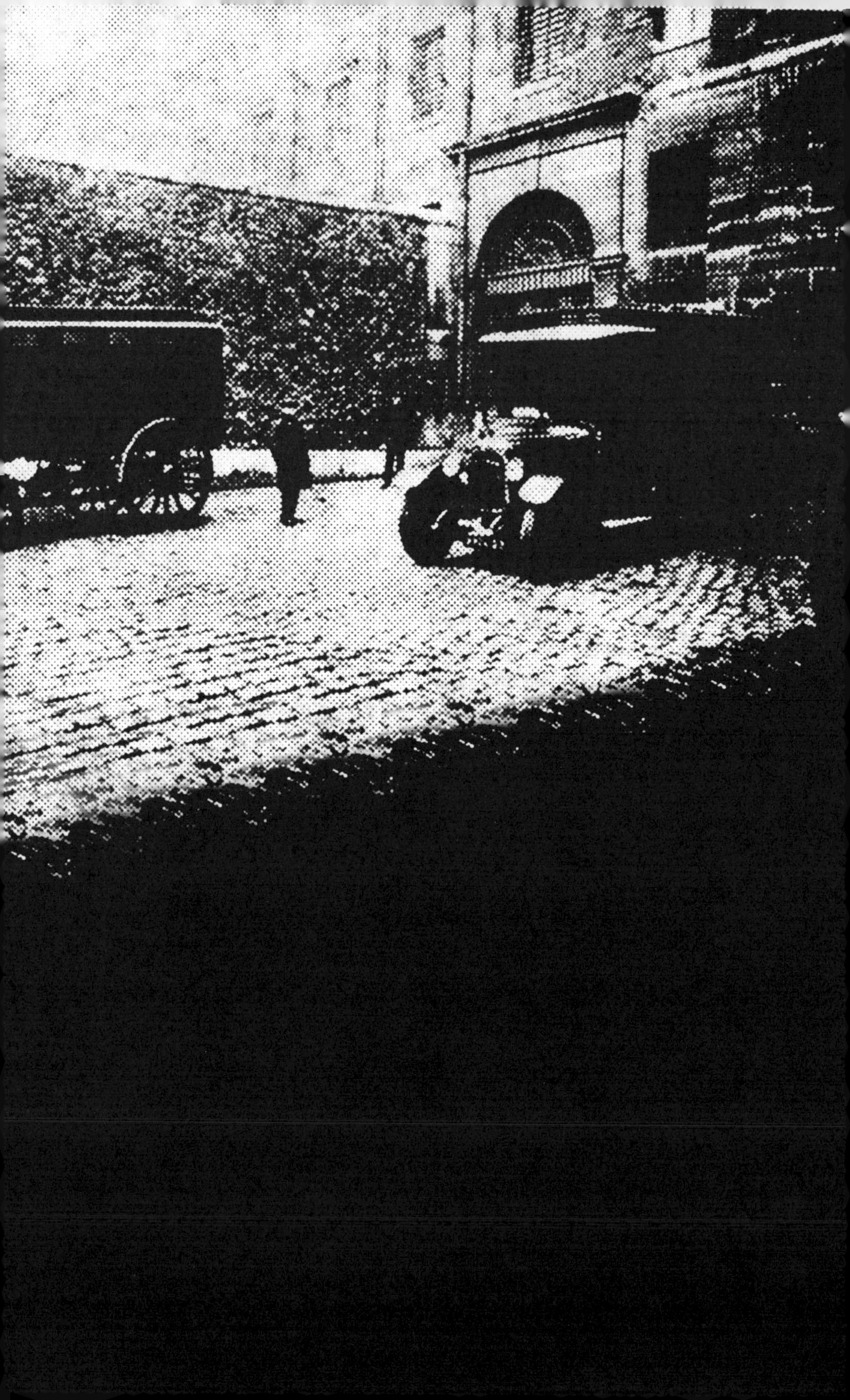

A FUGA DE ARSÈNE LUPIN

Na hora em que Arsène Lupin, tendo concluído sua refeição, tirou do bolso um belo charuto de anel dourado, examinando-o com satisfação, a porta da cela se abriu. Teve só o tempo de jogá-lo na gaveta e se afastar da mesa. O carcereiro entrou, era a hora do passeio.

— Esperava-o, caro amigo — bradou Lupin, sempre de bom humor.

Saíram. Mal desapareceram no ângulo do corredor, dois homens por sua vez penetraram na cela e iniciaram um exame minucioso. Um era o inspetor Dieuzy, outro o inspetor Folenfant.

Queriam acabar com aquilo. Não havia dúvida: Arsène Lupin mantinha entendimentos com o exterior e se comunicava com seus adeptos. Ainda na véspera, o Grand Journal publicara estas linhas dirigidas ao responsável pela seção de tribunais:

" *Senhor,*
Num artigo publicado por esses dias, exprimiu-se a meu respeito em termos que nada poderia justificar. Dias antes da abertura de meu julgamento, irei lhe pedir reparações. Distintas saudações,
Arsène Lupin."

A escrita era bem de Arsène Lupin. Então, enviava cartas e as recebia. Então, era certo que preparava a fuga que anunciara de modo tão arrogante.

A situação se tornava insuportável. De acordo com o juiz de instrução, o chefe da Sûreté, Sr. Dudouis, foi pessoalmente à Santé para expor ao diretor da prisão as medidas que convinha tomar. E já ao chegar enviou dois homens à cela do detido.

Eles levantaram cada uma das lajes, desmontaram a cama, fizeram tudo o que é de costume fazer num caso semelhante, e finalmente não descobriram nada. Iam desistir de suas investigações, quando o guarda acorreu a toda pressa e lhes disse:

— A gaveta... Olhem a gaveta da mesa. Quando entrei, pareceu-me que a fechava.

Olharam e Dieuzy exclamou:

— Por Deus, desta vez pegamos o homem.

Folenfant o deteve:

— Alto aí, meu filho, o chefe fará o inventário.

— Mas este charuto de luxo...

— Deixe o havana e vamos avisar o chefe.

Dois minutos depois, Sr. Dudouis examinava a gaveta. Achou primeiro um maço de artigos de jornais selecionados do *Argus de la Presse* e que se referiam a Arsène Lupin, em seguida uma bolsa de fumo, um cachimbo, folhas de papel fino e enfim dois livros.

Olhou os títulos. Eram *O Culto dos Heróis*, de Carlyle, em edição inglesa, e um elzevir encantador, com encadernação da época, do *Manual de Epiteto*, numa tradução alemã publicada em Leyde em 1634. Folheando-os, constatou que todas as páginas estavam marcadas, sublinhadas, anotadas. Seriam sinais em código ou dessas marcas que mostram o entusiasmo que se tem por um livro?

— Vamos ver isso em detalhes — disse Sr. Dudouis.

Examinou a bolsa de fumo, o cachimbo. A seguir, pegando o imponente charuto de anel dourado:

— Puxa, nosso amigo se trata bem: um Henri Clay!

Com um gesto mecânico de fumante, levou-o ao ouvido e o fez estalar. Uma exclamação lhe escapou. O charuto cedera à pressão de seus dedos. Examinou-o com atenção e não tardou a descobrir algo branco entre as folhas de fumo. Delicadamente, com ajuda de um alfinete, extraiu um rolo de papel muito fino, da grossura de um palito. Era um bilhete. Desenrolou-o e leu estas palavras numa escrita miúda de mulher:

O cesto tomou o lugar do outro. Oito das dez estão preparados. Apoiando no pé exterior, a placa se levanta de alto a baixo. Das doze às dezesseis horas todos os dias, H-P esperará. Mas onde? Resposta imediata. Esteja tranquilo, sua amiga vela pelo senhor.

Dudouis pensou um momento e disse:

— Está bastante claro... a cesta... as oito cabanas... De doze a dezesseis, é do meio-dia às quatro...
— Mas este H-P, quem esperará?
— H-P, no caso, deve significar automóvel, H-P, *horse power*, não é assim que em linguagem técnica se designa a força dum motor? Um vinte e quatro H-P é um automóvel com vinte e quatro cavalos. Levantou-se e perguntou:
— O recluso acabou de almoçar?
— Sim.
— Como não tinha ainda lido essa mensagem, como prova o estado do charuto, é provável que acabasse de recebê-la.
— Como?
— Nos alimentos, no miolo do pão ou numa batata, sei lá!?
— Impossível, só lhe autorizamos que mandasse vir suas refeições para que caísse num laço, mas não encontramos nada.
— Procuraremos à noite a resposta de Lupin. De momento, retenham-no fora da cela. Vou levar isso ao senhor juiz de instrução. Se concordar comigo, faremos imediatamente fotografar a carta e dentro de uma hora podemos repor na gaveta, com os outros objetos, um charuto idêntico, contendo a própria mensagem original. Convém que o detido não desconfie de nada.
Não sem certa curiosidade, Sr. Dudouis voltou à noite ao escritório da Santé em companhia do inspetor Dieuzy. Num canto, em cima da estufa, estavam três pratos.
— Ele comeu?
— Sim — respondeu o diretor.
— Dieuzy, queira cortar em pedaços bem finos estas tiras de macarrão e abrir este pãozinho... Nada?
— Não, chefe.
Dudouis examinou os pratos, o garfo, a colher, a faca, uma faca comum de lâmina redonda. Virou o cabo à esquerda, depois à direita. À direita ele cedeu e desparafusou. Era oco e servia de estojo a uma folha de papel.
— Ora! — sorriu. — Não é assim tão sagaz, para um homem como Arsène. Mas não percamos tempo. Você, Dieuzy, vá investigar esse restaurante. A seguir leu:

"Ponho-me em suas mãos. H-P seguirá de longe cada dia. Irei na frente. Até logo, sua querida e admirável amiga."

— Enfim — exclamou Sr. Dudouis, esfregando as mãos —, acho que o caso está bem encaminhado. Um empurrãozinho de nossa parte e a fuga tem êxito... o bastante ao menos para nos permitir prender os cúmplices.
— E se Arsène Lupin nos escorrega por entre os dedos? — objetou o diretor.
— Empregaremos o número de homens necessário. Se no entanto ele demonstrar habilidade demais... pior para ele! Quanto ao bando, já que o chefe se recusa a falar, os outros falarão.

* * *

De fato, Arsène Lupin não falava muito. Há meses, Sr. Jules Bouvier, o juiz de instrução se esforçava em vão. Os interrogatórios se reduziram a colóquios desprovidos de interesse entre o juiz e o advogado Danval, um dos mais ilustres advogados do foro, o qual sabia sobre o acusado o tanto quanto sobre qualquer um.

Uma vez ou outra, por gentileza, Arsène Lupin deixava escapar:

— Mas, sim, senhor juiz, estamos de acordo: o roubo do Crédit Lyonnais, o da Rue de Babylone, a emissão de notas falsas, o caso das apólices de seguro, o furto dos castelos de Armesnil, Gouret, Imblevain, Groselliers e Malaquis, tudo isso, tudo isso é obra deste vosso servidor.

— Então pode me explicar...

— Inútil, confesso tudo em conjunto, tudo, e até dez vezes mais do que pode supor.

Cansado da guerra, o juiz suspendera seus interrogatórios tediosos. Tendo conhecimento dos dois bilhetes interceptados, retomou-os. E regularmente, ao meio-dia, Arsène Lupin era levado da Santé à Casa de Detenção, na viatura penitenciária, com certo número de detidos. Saíram por volta de três ou quatro horas.

Uma tarde essa volta se realizou em condições particulares. Não tendo os outros presos sido ainda interrogados, decidiu-se levar primeiro Arsène Lupin. Subiu, pois, sozinho na viatura.

Esses carros penitenciários, vulgarmente chamados "cestos de salada", são divididos por um corredor central, no qual se abrem dez compartimentos, cinco à direita e cinco à esquerda. Cada um deles está disposto de tal modo que é necessário ficar sentado, e os cinco prisioneiros, além de só dispor cada um de um lugar estreitíssimo, estão separados uns dos outros por divisórias paralelas. Um carcereiro, colocado na extremidade, vigia o corredor.

Arsène foi colocado na terceira cela da direita, e o pesado carro arrancou. Deu-se conta de que deixavam o Quai de l'Horloge e passavam diante do Palácio da Justiça. Então, em meio à Pont Saint-Michel, premiu o pé direito, tal como fazia toda vez, sobre a placa de ferro que fechava sua celinha. Em seguida, alguma coisa funcionou, a placa se afastou imperceptivelmente. Pôde constatar que se achava exatamente entre as duas rodas.

Aguardou, com o olhar à espreita. O carro subiu devagar o Boulevard Saint-Michel. No cruzamento com o Boulevard Saint-Germain, parou. O cavalo de uma charrete caíra no chão e, com o trânsito interrompido, logo se formou uma aglomeração de táxis e ônibus.

Arsène Lupin pôs a cabeça para fora. Outra viatura penitenciária estacionava ao lado da que ocupava. Levantou mais a cabeça, pôs o pé sobre um dos raios da grande roda e saltou em terra.

Um cocheiro o viu, caiu na gargalhada, quis em seguida chamar a atenção, mas sua voz se perdeu no barulho dos veículos, que se escoavam novamente. E Arsène Lupin já estava longe.

Deu uns passos correndo, mas, na calçada esquerda, voltou-se, olhou em volta de si, parecendo auscultar a direção do vento, como alguém que ainda não sabe bem que direção seguir. Logo, decidido, pôs as mãos nos bolsos e, com o ar negligente de quem passeia, continuou a subir a avenida.

O tempo estava ameno, clima leve e feliz de outono. Os cafés estavam cheios. Sentou na esplanada de um deles.

Pediu um chope e um maço de cigarros. Esvaziou seu copo aos bocadinhos, fumou tranquilamente um cigarro, acendeu outro. Enfim, levantando-se, pediu ao garçom que chamasse o gerente.

Este veio e Arsène Lupin lhe disse, bastante alto para ser ouvido por todos:

— Estou aborrecido, senhor, esqueci a carteira. Mas quem sabe meu nome lhe é bastante conhecido para que consinta em me abrir um crédito por uns dias: Arsène Lupin.

O gerente o olhou, julgando tratar-se dum gracejo. Mas Arsène repetiu:

— Lupin, detido na Santé, atualmente em estado de fuga. Ouso crer que esse nome lhe inspire toda a confiança.

E afastou-se em meio aos risos, sem que o outro pensasse em reclamar.

Atravessou a Rue Soufflot e tomou a Rue Saint-Jacques. Seguia tranquilamente, parando nas vitrinas e fumando cigarros. No Boulevard Port-Royal, orientou-se, informou-se e foi direito à Rue de la Santé. As altas paredes monótonas da prisão logo apareceram. Contornou-as, chegou junto ao guarda que estava à porta e, tirando o chapéu:

— É aqui a Santé?

— Sim.

— Desejaria voltar à minha cela. O carro me abandonou no caminho e não desejo abusar...

O rapaz resmungou:

— Ande, homem, vá indo, e depressa, hein?

— Perdão, perdão! Acontece que meu caminho passa por esta porta. E se impedir Arsène Lupin de atravessá-la, isso pode lhe custar caro, meu amigo!

— Arsène Lupin! Mas que história é essa?

— Lamento não ter meu cartão — disse Arsène, fingindo procurar nos bolsos.

O guarda o mediu dos pés à cabeça, aturdido. Logo, sem uma palavra, como contra a vontade, puxou o cordão da campainha. A porta de ferro se entreabriu.

Minutos depois, o diretor acorreu ao escritório, gesticulando e simulando uma violenta cólera. Arsène sorriu:

— Vamos, senhor diretor, não banque o esperto comigo. Mas como! Tiveram a cautela de me levar sozinho no carro, prepararam um pequeno engarrafamento e imaginaram que eu ia sair correndo para me reunir a meus amigos! E os vinte agentes da Sûreté que me escoltavam a pé, de táxi e de bicicleta? Não, o que me teriam arrumado! Não teria saído vivo. Diga-me, senhor diretor, era talvez com isso que contavam?

Deu de ombros e acrescentou:

— Peço-lhe, senhor diretor, que deixem de se ocupar comigo. No dia em que quiser escapar, não terei necessidade de ninguém.

Dois dias após, o *Écho de France*, que, fora de dúvida, se tornava o boletim oficial das proezas de Arsène Lupin — dizia que ele era um dos principais sócios comanditários do jornal —, publicava os detalhes mais completos dessa tentativa de fuga. Até o texto dos bilhetes trocados entre o detido e sua misteriosa amiga, os meios empregados nessa correspondência, a cumplicidade da polícia, o passeio pelo Boulevard Saint-Michel, o incidente do Café Soufflot, tudo era revelado. Sabia-se que as pesquisas do inspetor Dieuzy junto aos garçons do restaurante não tinham dado nenhum resultado. E ficava-se sabendo, ademais, desta coisa espantosa, que mostrava a infinita variedade de recursos de que este homem dispunha: o carro penitenciário, em que tinha sido transportado, era uma viatura inteiramente preparada, que seu bando tinha substituído por uma das seis que faziam o serviço das prisões.

Ninguém mais duvidava da fuga próxima de Arsène Lupin. Ele mesmo, aliás, a anunciava em termos categóricos, como o provava a sua resposta ao Sr. Bouvier no dia seguinte ao incidente. Tendo o juiz zombado do seu fracasso, ele o fitou e disse friamente:

— Escute bem isto, senhor, e acredite na minha palavra: esta tentativa fazia parte do meu plano de fuga.

— Não entendo — sorriu o juiz.

— Seria inútil se entendesse.

E como o juiz, no curso desse interrogatório, que apareceu por extenso nas colunas do *Écho de France*, retornasse à sua instrução, ele protestou, com ar de cansaço:

— Meu Deus, meu Deus, para que isso? Todas essas perguntas não têm a menor importância...

— Como não tem importância?

— ...já que não comparecerei ao meu julgamento.

— Não comparecerá...

— Não, é uma ideia fixa, uma decisão irrevogável. Nada me fará transigir.

Toda essa segurança e as indiscrições inexplicáveis que ocorriam a cada dia irritavam e desconcertavam a justiça. Havia aí segredos que Arsène Lupin era o único a conhecer, e cuja divulgação, por conseguinte, não podia provir senão dele. Mas com que fim os revelava? E como?

Mudaram Arsène Lupin de cela. Uma noite, desceu ao andar inferior. Por seu lado, o juiz encerrou a instrução e enviou o processo ao tribunal para início da acusação.

Foi o silêncio, e durou dois meses. Arsène passou-os na cama, com o rosto quase sempre virado para a parede. A mudança de cela parecia tê-lo abatido. Recusou receber seu advogado e apenas trocava algumas palavras com os carcereiros.

Na quinzena precedente a seu julgamento, pareceu reanimar-se. Queixou-se da falta de ar e o fizeram sair para o pátio, de manhã bem cedo, ladeado por dois homens.

A curiosidade pública, porém, não havia diminuído. A cada dia era esperada a notícia da sua fuga. Quase a desejavam, de tal modo a personagem caíra no gosto do público por sua verve, sua alegria, sua diversidade, seu gênio inventivo e o mistério de sua vida. Arsène Lupin tinha de fugir. Era inevitável, fatal. Uns até se surpreendiam que isso demorasse tanto. Todas as manhãs, o chefe de polícia perguntava a seu secretário:

— E ele não foi embora ainda?

— Não, chefe.

— Então deve ser para amanhã.

Na véspera do julgamento um cidadão se apresentou nos escritórios do *Grant Journal*, perguntou pelo colunista forense, atirou-lhe seu cartão no rosto e afastou-se rapidamente. No cartão, estavam gravadas estas palavras:

"Arsène Lupin sempre cumpre as suas promessas."

* * *

Foi nessas circunstâncias que os debates se abriram.

A multidão era enorme. Não havia quem não quisesse ver o famoso Arsène Lupin, e todos saboreavam de antemão a maneira como se divertiria com o juiz. Advogados e magistrados, cronistas e gente da sociedade, artistas e mulheres conhecidas: a aristocracia de Paris em suma se comprimia nos bancos do tribunal.

Chovia; lá fora o dia estava sombrio e mal viram Arsène Lupin quando os guardas o trouxeram. No entanto, sua atitude pesada, a maneira com que se deixou cair na cadeira que lhe estava reservada, sua imobilidade indiferente e passiva não pesaram a seu favor. Várias vezes seu advogado — um dos auxiliares do Dr. Danval, já que este tinha julgado indigno de si o papel a que fora reduzido — lhe dirigiu a palavra. Ele balançava a cabeça e não respondia.

O escrevente leu o ato acusatório e a seguir o juiz falou:

— Acusado, levante-se. Seu sobrenome, nome, idade e profissão.

Não recebendo resposta, repetiu:

— Sobrenome? Estou perguntando o seu sobrenome.

Uma voz grossa e fatigada articulou:

— Baudru Désiré.

Houve murmúrios. Mas o juiz insistiu:

— Baudru Désiré? Ah, sim, uma nova identidade! Como é talvez o oitavo nome que pretende ser o seu, sendo sem dúvida tão imaginário quanto os outros, fiquemos com ele, se desejar, em vez do de Arsène Lupin, sob o qual é mais amplamente conhecido.

O juiz consultou suas notas e prosseguiu:

— Porque, apesar de todas as pesquisas, foi impossível reconstituir a sua identidade. O senhor apresenta o caso, bem original em nossa sociedade moderna, de não ter passado. Não sabemos quem é, de onde vem, onde passou a infância, em suma, nada. Irrompe de repente, há três anos, não se sabe ao certo vindo de que ambiente, para se revelar de um só golpe Arsène Lupin, isto é, uma estranha mistura de inteligência e perversão, de imoralismo e generosidade. Os dados que temos sobre o senhor antes dessa época são suposições. É provável que o chamado Rostat, que há oito anos trabalhava junto com o prestidigitador Dickson, não seja outro senão Arsène Lupin. É provável que o estudante russo que frequentava, há seis anos, o laboratório do Dr. Altier, no Hospital Saint-Louis, e que não raro surpreendeu o mestre pela engenhosidade de suas hipóteses sobre a bacteriologia e a audácia de suas experiências em doenças da pele, não seja outro senão Arsène Lupin. Arsène Lupin, igualmente, o professor de luta japonesa que se estabeleceu em Paris bem antes de que aqui se falasse em jiu-jitsu. Arsène Lupin, ainda, o corredor de bicicleta que ganhou o Grande Prêmio da Exposição, pegou os seus dez mil francos e não voltou a ser visto. Arsène Lupin talvez também aquele que salvou tantas pessoas pela claraboia do Bazar da Caridade... e furtou o que levavam de valor.

Uma pausa e concluiu:

— Assim, desta vez parece constituir uma minuciosa preparação para a luta que empreenderia contra a sociedade, uma metódica aprendizagem onde levou ao mais alto ponto a sua força, sua energia e sua destreza. Reconhece a exatidão desses fatos?

Durante esse discurso, o acusado se balançara duma perna para a outra, com as costas arredondadas, os braços inertes. Sob a luz mais viva, notou-se sua magreza extrema, suas faces cavadas, com as maçãs estranhamente salientes, seu rosto cor de terra, manchado de plaquinhas vermelhas e enquadrado por uma barba desigual e escassa. A cadeia o tinha envelhecido e murchado espantosamente. Não se reconhecia mais a silhueta elegante e o rosto jovem de que os jornais tantas vezes haviam publicado o retrato simpático.

Parecia que não ouvira a pergunta que lhe tinham feito. Duas vezes ela lhe foi repetida. Então ergueu os olhos, pareceu refletir e, fazendo um grande esforço, murmurou:

— Baudru Désiré.

O juiz se pôs a rir.

— Não estou percebendo bem o sistema de defesa que adotou, Arsène Lupin. Se for o de interpretar imbecis e irresponsáveis, pode prosseguir. Quanto a mim, irei direto ao objetivo sem me preocupar com as suas fantasias.

E começou a pormenorizar roubos, malandragens e falsificações atribuídas a Lupin. Às vezes interrogava o acusado. Este soltava um grunhido ou não respondia. O desfile das testemunhas começou. Houve vários depoimentos insignificantes, outros mais sérios, todos com o cunho bem comum de se contradizerem uns aos outros. Uma perturbadora obscuridade envolvia os debates, mas introduziram o inspetor Ganimard e o interesse se acendeu.

De saída, porém, o velho policial causou certa decepção. Tinha uma atitude não intimidada — já havia enfrentado situações bem mais difíceis —, mas preocupada, contrafeita. Muitas vezes voltou o olhar para o acusado com visível mal-estar. No entanto, com as duas mãos apoiadas na barra, narrava os incidentes em que estivera metido, em sua busca pela Europa toda, indo até a América. Ouviam-no com avidez, como à narração das mais apaixonantes aventuras. Mas, perto de terminar, tendo aludido às suas conversas com Arsène Lupin, duas vezes se deteve, distraído, indeciso.

Estava claro que outro pensamento o obcecava.

O juiz lhe disse:

— Se está se sentindo mal, é melhor interromper o seu depoimento.

— Não, não, apenas...

Calou-se e fitou longa e profundamente o acusado, dizendo a seguir:

— Peço licença para examinar o acusado mais de perto. Há aqui um mistério que é preciso que eu esclareça.

Aproximando-se, observou-o mais demoradamente ainda, com atenção concentrada, e voltou à barra. Aí, num tom um tanto solene, pronunciou:

— Senhor juiz, afirmo que o homem que está aqui, à minha frente, não é Arsène Lupin.

Um grande silêncio acolheu essas palavras. O juiz primeiro pareceu confuso, depois bradou:

— Como, que está dizendo?! Está louco!

O inspetor declarou com firmeza:

— À primeira vista, a gente pode se deixar levar por uma semelhança, que existe com efeito, confesso, mas basta um segundo de atenção. O nariz, a boca, os cabelos, a cor da pele... enfim, tudo: não é Arsène Lupin. E os olhos, então, nunca ele teve esses olhos de alcoólatra!

— Vamos, explique-se. Que pretende dizer, testemunha?

— Vou eu saber? Ele deve ter posto em seu lugar um pobre diabo que poderíamos condenar em seu lugar. A não ser que se trate de um cúmplice.

Gritos, risos, exclamações partiam de todos os lados, na sala agitada por esse inesperado golpe teatral. O juiz do tribunal convocou o juiz de instrução, o diretor da Santé, os guardas e suspendeu a audiência.

Reiniciando-a, mais tarde, Sr. Bouvier e o diretor, postos na presença do acusado, declararam não haver entre Arsène Lupin e aquele homem mais que uma parecença de traços muito vaga.

— Mas então, — exclamou o presidente — quem é este homem? De onde veio? Como se acha nas mãos da justiça?

Chamaram os dois carcereiros da Santé. Contradição de pasmar: reconheceram o detido de que tinham a vigilância permanente!

Um dos carcereiros prosseguiu:

— Sim, sim, creio que é ele.

— Como "crê"?

— Ora, eu mal cheguei a vê-lo. Entregaram-no de noite e há dois meses permanece sempre deitado contra a parede.

— Mas antes desses dois meses?

— Ah, antes ele não ocupava a cela 24.

O diretor da prisão explicou esse ponto:

— Mudamos o detido de cela depois de sua tentativa de fuga.

— Mas o senhor, diretor, o viu nesses dois meses?

— Não tive a oportunidade... Ele se mantinha tranquilo.

— E esse homem aí não é o preso que lhe foi entregue?

— Não.

— Então quem é?

— Não saberia dizer.

— Estamos, pois, diante duma substituição que teria ocorrido há dois meses. Como a explica?

— É impossível.

— E então?

Em desespero de causa, o juiz se virou para o acusado e, com voz insinuante:

— Você, vejamos, poderia me explicar como e desde quando está nas mãos da justiça?

Dir-se-ia que o tom benévolo desarmava a desconfiança ou estimulava o entendimento do homem. Tentou responder. Enfim, interrogado com doçura e habilidade, conseguiu reunir algumas frases de onde se tirava isto: dois meses atrás, tinha sido levado à Casa de Detenção, onde passara uma noite e uma manhã. Tendo consigo apenas setenta e cinco centavos, tinha sido liberado. Mas, ao atravessar o pátio, dois guardas o pegaram pelo braço e o levaram a uma viatura penitenciária. Desde aí vivia na cela 24, não descontente... Comia bem, não dormia mal... Assim, não tinha protestado.

Tudo isso parecia provável. Em meio a risadas e grande efervescência, o juiz remeteu o caso para uma investigação mais aprofundada.

* * *

A investigação logo apurou este fato consignado no registro carcerário: oito semanas antes, um indivíduo chamado Baudru Désiré tinha dormido na Detenção. Liberado no outro dia, fora embora às duas da tarde. Ora, nesse dia, às duas horas, interrogado pela última vez, Arsène Lupin saía da instrução e voltava no carro penitenciário.

Teriam os carcereiros cometido um erro? Enganados pela semelhança, teriam, num momento de desatenção, trocado aquele homem pelo prisioneiro? Para tanto seria preciso que agissem com um descuido que seu tipo de tarefa não permitia supor.

A substituição fora previamente combinada? Além de que a disposição dos lugares tornava a coisa quase irrealizável, seria nesse caso necessário que Baudru fosse um cúmplice e se fizesse prender com o objetivo preciso de tomar o lugar de Arsène Lupin. Mas então, por que milagre tal plano, fundado numa série de oportunidades inverossímeis, encontros fortuitos e erros fabulosos, pudera ter êxito?

Fizeram passar Baudru Désiré pelo serviço antropométrico; não havia ficha correspondente à descrição de sua pessoa. No mais, achou-se facilmente seu rastro. Em Courbevoie, Asnières, Levallois, era conhecido. Vivia de esmolas e dormia num casebre de trapeiros, perto da estação de Ternes. Há um ano, porém, tinha desaparecido.

Teria sido recrutado por Arsène Lupin? Nada autorizava a crer. E se fosse assim, não se teria sabido mais sobre a fuga do prisioneiro. O prodígio continuava o mesmo. Das vinte hipóteses que tentavam explicá-lo, nenhuma era satisfatória. Só a fuga não provocava dúvidas, e era incompreensível, impressionante, sentindo nela o público, tanto quanto a justiça, o esforço de uma longa preparação, um conjunto de atos maravilhosamente ligados uns aos outros e cujo desfecho justificava a orgulhosa predição de Arsène Lupin: "Não assistirei ao meu julgamento".

Ao fim de um mês de buscas minuciosas, o enigma se apresentava com o mesmo cunho indecifrável. Não se podia, porém, conservar indefinidamente aquele pobre diabo do Baudru. Processá-lo seria ridículo: de que poderiam acusá-lo? Sua liberação foi assinada pelo juiz de instrução. Mas o chefe da Sûreté decidiu manter em torno dele uma vigilância ativa.

A ideia veio de Ganimard, em cujo ponto de vista não havia nem cumplicidade nem acaso. Baudru era um instrumento que Arsène Lupin tinha usado com sua extraordinária habilidade. Deixando-o livre, chegariam através dele a Arsène Lupin, ou pelo menos até alguém do seu bando.

Os dois inspetores, Dieuzy e Folenfant, foram postos às ordens de Ganimard, e, numa manhã de janeiro, com nevoeiro, as portas da cadeia se abriram para Baudru Désiré.

Pareceu de início embaraçado e caminhou como um homem sem ideias precisas sobre o uso do seu tempo. Seguiu pela Rue de la Santé e pela Rue Saint-Jacques. Numa lojinha de roupas usadas, tirou o casaco e o colete e, vendendo este último por poucas moedas, pôs de novo o casaco e foi-se embora.

Atravessou o Sena. No Châtelet, um ônibus passou por ele. Quis subir, mas não havia lugar. O fiscal lhe aconselhou que comprasse uma passagem e ele entrou na sala de espera.

Nesse momento, Ganimard chamou seus dois homens e, sem perder de vista a entrada da sala, disse-lhes às pressas:
— Consigam um carro... não, dois, é mais seguro. Irei com um de vocês e nós o seguiremos.
Os homens obedeceram. Baudru, porém, não aparecia. Ganimard entrou; não havia ninguém na sala.
— Fui um idiota — murmurou —, esqueci a outra saída.
A estação, com efeito, se comunicava, por um corredor interno, com a da Rue Saint-Martin. Ganimard correu, chegando no instante exato de notar Baudru no ônibus Batignolles–Jardin des Plantes que dobrava a esquina da Rue de Rivoli. Correu e pegou o ônibus. Mas tinha perdido seus dois agentes.
Estava sozinho para continuar a perseguição.
Em seu furor, esteve à beira de pegar Baudru pelo pescoço sem maiores formalidades. Não fora com premeditação e por uma engenhosa astúcia que este suposto imbecil o tinha separado de seus auxiliares?
Fitou Baudru. Cochilava no banco e sua cabeça balançava de um lado para outro. Com a boca semiaberta, seu rosto tinha uma incrível expressão de estupidez. Não, não era um adversário capaz de enganar o velho Ganimard. O acaso lhe fora favorável, era isso.
No cruzamento das Galerias Lafayette, o homem passou do ônibus para o bonde da Muette. Seguiram pelo Boulevard Haussmann e pela Avenue Victor Hugo. Baudru só desceu diante da estação da Muette. E, num passo descuidado, afundou-se no Bois de Boulogne.
Passava de uma alameda a outra, voltava sobre seus passos, afastava-se. Que procurava? Teria uma meta?
Depois de uma hora desse exercício, parecia quebrado de fadiga. De fato, vendo um banco, sentou-se. O lugar, não longe de Auteuil, à beira dum laguinho escondido entre as árvores, estava absolutamente deserto. Escoou-se uma meia hora. Impaciente, Ganimard resolveu ir conversar com o homem.
Acercou-se e tomou lugar ao lado de Baudru. Acendeu um cigarro, traçou círculos na areia com a ponta da bengala e disse:
— Não está quente, hein?
Nada. E súbito, neste silêncio vibrou uma risada, jubilosa, feliz, de uma criança num acesso de riso que não consegue parar. Ganimard sentiu com clareza seus cabelos realmente se eriçando na cabeça. O riso, o riso infernal que conhecia tão bem!...
Num gesto brusco, pegou o homem pela gola do casaco e o encarou, profunda, violentamente, melhor ainda do que havia olhado no tribunal, e em verdade não foi mais o mesmo homem que viu; era ele, mas era ao mesmo tempo o outro, o verdadeiro.
Ajudado por uma vontade cúmplice, reencontrou a vida ardente dos olhos, completou a máscara emagrecida, percebeu a carne real sob a epiderme estragada, a boca real atrás do ricto que a deformava. E eram os olhos do outro, a boca do

outro, era especialmente a sua expressão aguda, viva, irônica, espiritual, tão clara e tão jovem!

— Arsène Lupin, Arsène Lupin — balbuciou.

E súbito, tomado de raiva, apertando-lhe a garganta, tentou derrubá-lo. Apesar dos seus cinquenta anos, era ainda dum vigor pouco comum, enquanto seu adversário parecia em más condições. E que golpe magistral se conseguisse levá-lo de volta!

A luta foi curta. Arsène Lupin se defendeu apenas, e, tão prontamente quanto tinha atacado, Ganimard largou a presa. Seu braço direito pendia inerte, dormente.

— Se ensinassem jiu-jitsu no Quai des Orfèvres — declarou Lupin —, saberia que este golpe se chama udi-chi-ghi em japonês.

E acrescentou friamente:

— Mais um segundo, quebrava-lhe o braço, e você não teria tido senão o que merece. Como pode um velho amigo, que estimo e diante do qual revelo espontaneamente o meu incógnito, abusar da minha confiança?! Mau, mau... E agora, o que é que lhe deu?

Aquela fuga, de que se julgava responsável — não fora ele que, por seu depoimento sensacional, induzira a justiça em erro? —, lhe parecia a vergonha da sua carreira. Uma lágrima rolou pelo seu bigode grisalho.

— Ah, meu Deus, Ganimard, não se preocupe; se não tivesse falado, eu teria dado um jeito para que outro falasse. Podia eu admitir que se condenasse Baudru Désiré?

— De modo que era você — murmurou Ganimard — que estava lá? É você que está aqui!

— Eu, sempre eu, unicamente eu.

— Será possível?!

— Ora, não é preciso bruxaria. Basta, como notou aquele bravo juiz, preparar-se durante uma dezena de anos para enfrentar qualquer eventualidade.

— Mas seu rosto? Seus olhos?

— Deve compreender que, se trabalhei dezoito meses no Saint-Louis com o Dr. Altier, não foi por amor à ciência. Pensei que aquele que teria um dia a honra de se chamar Arsène Lupin devia saber subtrair-se às leis comuns da aparência e da identidade. A aparência se modifica como se deseja. Uma injeção hipodérmica de parafina faz inchar a pele, bem no lugar escolhido. O ácido pirogálico o transforma num moicano. O suco de celidônia o enfeita de impigens e tumores do mais feliz efeito. Esse processo químico age sobre o crescimento da barba e dos cabelos e outro sobre o timbre da voz. Junte a tudo isso dois meses de dieta na cela 24, exercícios repetidos mil vezes para abrir a boca segundo este rito, para manter a cabeça nesta inclinação e minhas costas nesta curva. Enfim, cinco gotas de atropina nos olhos para torná-los abatidos e opacos, e a coisa está feita.

— Não entendo como os carcereiros...

— A metamorfose foi progressiva. Não puderam dia a dia notar a evolução.

— E Baudru Désiré?

— Baudru existe. É um pobre inocente que encontrei no ano passado e que de fato tem comigo certa analogia de traços. Prevendo uma prisão sempre possível, eu o pus em segurança e me apliquei em discernir desde o princípio os pontos de dessemelhança que nos separavam, para atenuá-los em mim tanto quanto podia. Meus amigos o fizeram passar uma noite na Detenção, de maneira que saísse aproximadamente à mesma hora que eu e que a coincidência fosse fácil de constatar. Pois note, era preciso que se achasse a marca da sua passagem, sem o que a justiça insistiria em saber quem eu era. Ao passo que, oferecendo-lhe esse excelente Baudru, era inevitável, entenda, inevitável que se atirassem em cima dele e que, apesar das dificuldades insuperáveis duma substituição, preferissem acreditar nela em vez de confessar sua ignorância.

— Sim, sim, realmente — murmurou Ganimard.

— Depois — bradou Lupin —, tinha nas mãos um trunfo formidável, maquinado por mim desde o início: a espera em que todo o mundo estava de minha fuga. E esse foi o erro grosseiro em que caíram, você e os outros, nessa partida apaixonante que a justiça e eu jogamos e da qual o prêmio era a minha liberdade. Supuseram ainda uma vez que procedesse como um fanfarrão, inebriado por meus sucessos como um adolescente. Eu, Arsène Lupin, ter tal fraqueza! E, não mais que no caso Cahorn, vocês não disseram a si mesmos: "Se Arsène Lupin diz a todos os ventos que fugirá, é que tem razões que o obrigam a dizer isso". Mas, puxa, você tem de entender que para fugir... sem fugir, era preciso que se acreditasse de antemão nessa fuga, que isso fosse um artigo de fé, uma convicção absoluta, uma verdade clara como o sol. E foi assim, segundo minha vontade. Arsène Lupin fugira, Arsène Lupin não assistiria ao seu julgamento. E quando você se erguesse para afirmar: "Este homem não é Arsène Lupin", teria sido sobrenatural que todo mundo não acreditasse imediatamente que eu não era Arsène Lupin. Se uma pessoa duvidasse e fizesse esta restrição: "Mas e se for Arsène Lupin?", eu estaria perdido na hora. Bastava inclinar-se para mim não com a ideia de que eu não fosse Arsène Lupin, como você fez, você e os demais, mas com a ideia de que eu podia ser Arsène Lupin e, apesar de todas as minhas precauções, todos me reconheceriam. Mas eu estava tranquilo. Logicamente, psicologicamente, ninguém podia ter essa simples ideiazinha. Pegou de repente a mão de Ganimard.

— Vamos, Ganimard, confesse que, oito dias depois de nossa entrevista na Santé, você me esperou às quatro horas na sua casa, como eu lhe tinha solicitado.

— E o carro de presos? — perguntou Ganimard.

— Um blefe! Foram meus amigos que consertaram e substituíram esse velho carro fora de uso e quiseram tentar esse expediente. Mas eu sabia que era impraticável sem um concurso de circunstâncias excepcionais. Apenas achei útil rematar essa tentativa de fuga e dar-lhe a maior publicidade. Uma primeira fuga audaciosa armada dava à segunda o valor de uma fuga de antemão bem-sucedida.

— Então o charuto...

— Preparado por mim, do mesmo modo que a faca.

— E a misteriosa correspondente?

— Ela e eu não somos senão um... Tenho as letras que quiser.

Ganimard refletiu um instante e objetou:

— Como é possível que no serviço de antropometria, quando fizeram a ficha de Baudru, não perceberam que coincidia com a de Arsène Lupin?

— A ficha de Arsène Lupin não existe.

— Essa não!

— Pelo menos é falsa. É um ponto que estudei muito. O sistema Bertillon abrange primeiro a descrição por medidas, da cabeça, dos dedos, das orelhas, etc. Aí não há nada a fazer.

— Então?

— Então, cumpria pagar. Antes mesmo da minha volta da América, um dos empregados do serviço aceitou uma quantia para registrar falsos algarismos na hora de me medirem. Foi suficiente para que todo o sistema se perdesse e minha ficha fosse parar numa seção oposta àquela em que devia estar. A ficha de Baudru não devia, pois, coincidir com a ficha de Arsène Lupin.

Houve ainda um silêncio e logo Ganimard perguntou:

— E agora, que vai fazer?

— Agora vou descansar, seguir uma dieta para engordar e voltar pouco a pouco a mim mesmo. Está muito bem ser Baudru ou qualquer outro, mudar de personalidade como de camisa e escolher sua aparência, sua voz, seu olhar, sua letra. Mas acontece que a gente acaba não se reconhecendo mais no meio disso tudo, e isso é triste. Sinto atualmente o que devia sentir o homem que perdeu a sua sombra. Vou me procurar... e me encontrar.

Andava de um lado a outro. O escuro já se misturava à luz do dia. Parou diante de Ganimard.

— Não temos mais nada a nos dizer, calculo.

— Sim — respondeu o inspetor —, gostaria de saber se você revelará a verdade sobre sua fuga, o erro que cometi.

— Oh! Ninguém há de saber que foi Arsène Lupin o liberado. Tenho interesse demais em acumular em torno de mim as trevas mais misteriosas para não deixar a essa fuga seu cunho quase miraculoso. Assim, não receie nada, meu bom amigo, e adeus. Janto na cidade esta noite e só me sobra tempo para pôr uma roupa conveniente.

— Julgava que você desejasse mais repouso!

— Ai! Há obrigações sociais que não se podem deixar de cumprir. O repouso começará amanhã.

— E onde vai jantar?

— Na embaixada da Inglaterra!

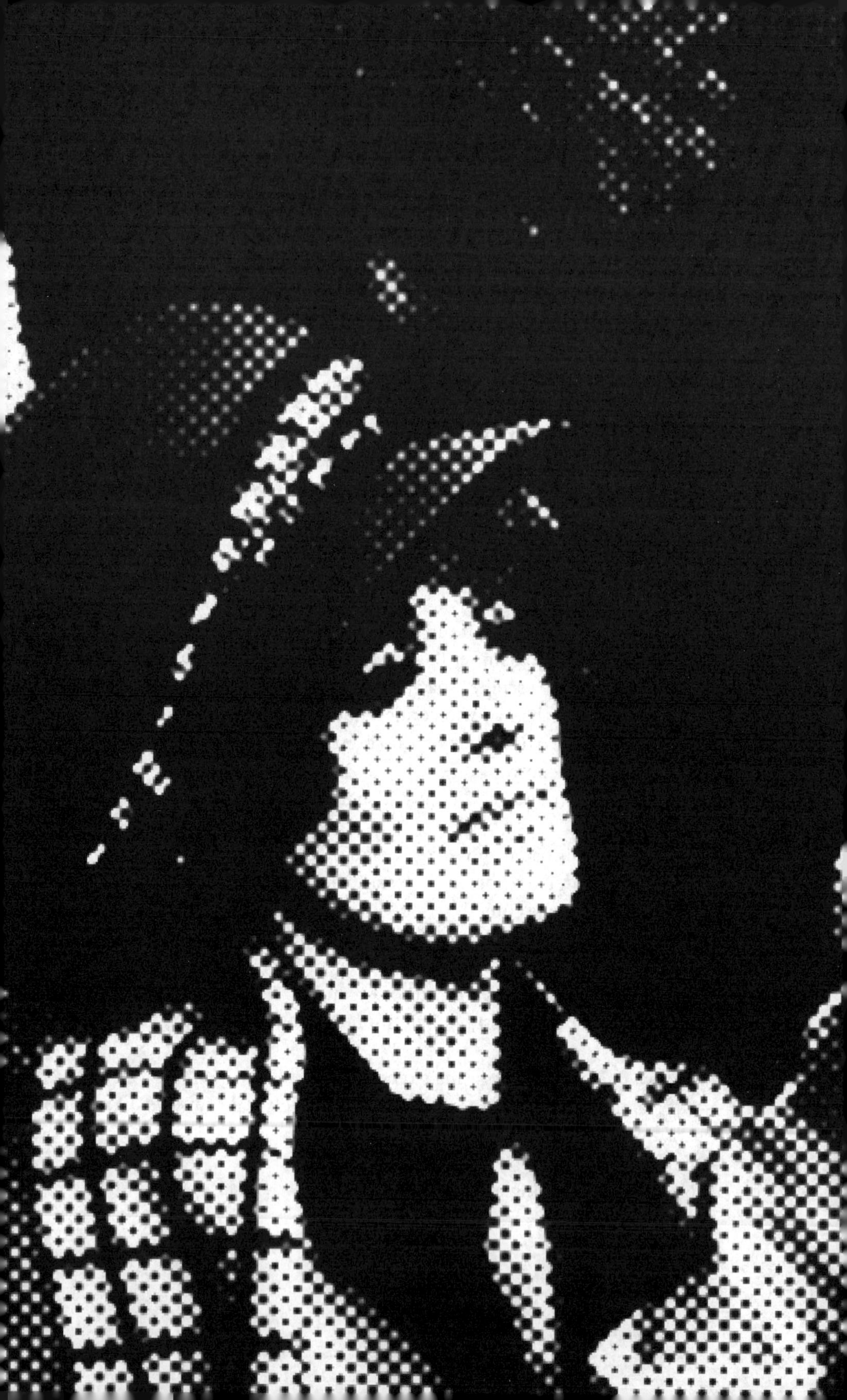

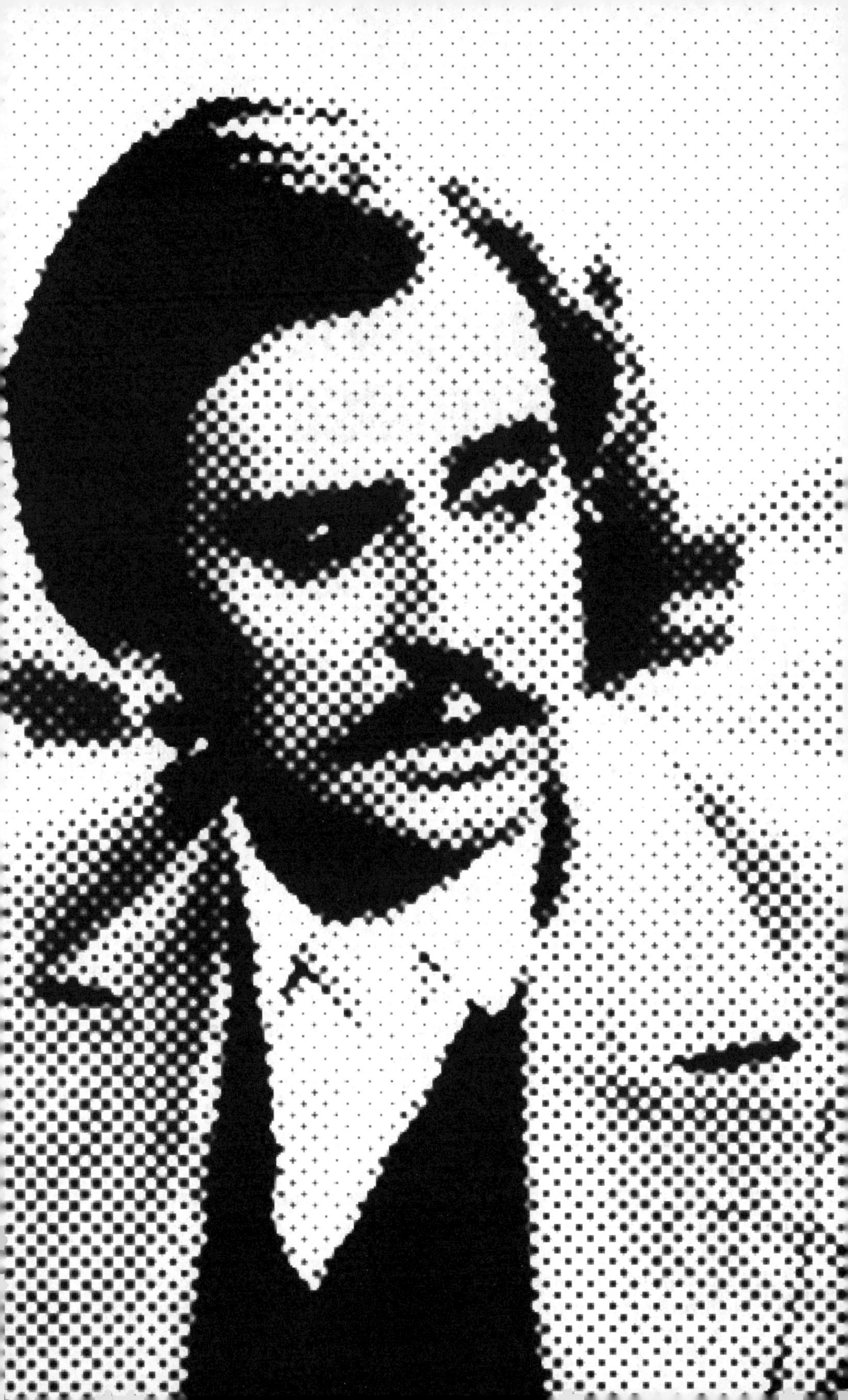

O VIAJANTE MISTERIOSO

No dia anterior, eu havia enviado meu carro para Rouen por estrada. Eu ia me juntar a ele de trem, e, de lá, ir para casa de amigos que moram nas margens do Sena.

No entanto, em Paris, poucos minutos antes da partida, sete senhores invadiram minha cabine, e cinco deles estavam fumando. Por mais curta que seja a viagem, a perspectiva de fazê-lo em tal companhia era desagradável para mim, principalmente porque o vagão, de modelo antigo, não tinha corredor. Então peguei meu sobretudo, meus jornais, meu guia, e refugiei-me na cabine vizinha.

Uma senhora ocupava a cabine. Ao me ver, teve um gesto de contrariedade que não me escapou e se inclinou para um senhor de pé no estribo do trem, seu marido sem dúvida, que a acompanhara à estação. O cidadão me observou e o exame provavelmente terminou a meu favor, pois falou baixo à mulher, sorrindo, do modo com que se tranquiliza uma criança que tem medo. Ela sorriu por sua vez e me enviou um olhar amigo, como se compreendesse de repente que eu era um desses homens gentis com quem uma mulher pode permanecer fechada duas horas, numa caixinha de seis pés quadrados, sem ter nada a recear.

Seu marido lhe disse:

— Não me queira mal, querida, mas tenho um compromisso urgente e não posso esperar.

Beijou-a afetuosamente e foi embora. Sua mulher lhe enviava pela janela beijinhos discretos e sacudia o lenço.

Soou um apito e o trem começou a se mover.

Nesse mesmo instante, e apesar dos protestos dos empregados, a porta foi aberta e um homem surgiu em nosso compartimento. Minha companheira, que estava então de pé e arrumava as coisas na rede de bagagens, soltou um grito de terror e caiu sobre o banco.

Não sou covarde, longe disso, mas confesso que essas irrupções de última hora são sempre penosas. Parecem equívocas, pouco naturais. Devem esconder algo, sem o que...

A aparência do recém-chegado, porém, e a sua atitude teriam antes atenuado a má impressão produzida por seu ato. Correção, quase elegância, uma gravata de bom gosto, luvas limpas, um rosto enérgico... Mas, diabo, onde havia visto esse rosto? Não tinha dúvida, eu o tinha visto. Ao menos, para ser mais exato, achava em mim a espécie de lembrança que deixa a visão de um retrato muitas vezes observado e de que nunca se contemplou o original. Ao mesmo tempo, sentia a inutilidade de todo esforço de memória, de tal modo essa lembrança era inconsistente e vaga.

Contudo, tendo fixado a atenção na dama, me espantei com sua palidez e o transtorno de seus traços. Olhava seu vizinho — estavam sentados do mesmo lado — com uma expressão de espanto real, e constatei que uma de suas mãos, trêmula, deslizava para um pequeno saco de viagem sobre o banco a vinte centímetros de seus joelhos. Terminou por pegá-lo e nervosamente o puxou contra si.

Nossos olhos se encontraram, e vi tanta inquietação e ansiedade, que não pude me impedir de lhe dizer:

— Não está bem, madame?... Quer que abra esta janela?

Sem me responder, indicou-me com um gesto temeroso o indivíduo. Sorri como teria feito seu marido, alcei os ombros e lhe expliquei por sinais que não tinha nada a temer, que eu estava ali, e que, aliás, aquele senhor parecia bem inofensivo.

Nesse instante, ele se virou para nós e, um depois do outro, nos examinou dos pés à cabeça; a seguir tornou a se afundar no seu canto e não se mexeu mais.

Fez-se silêncio, mas a dama, como se tivesse juntado toda a sua energia para realizar um ato desesperado, me disse numa voz apenas audível:

— Sabe que ele está no nosso trem?

— Quem?

— Mas ele... ele... lhe garanto.

— Ele quem?

— Arsène Lupin.

Não tinha abandonado com os olhos o viajante e era a ele, mais que a mim, que lançava as sílabas desse nome inquietante.

Ele baixou seu chapéu sobre o nariz. Seria para esconder sua perturbação, ou simplesmente se preparava para dormir?

Fiz esta objeção:

— Arsène Lupin foi condenado ontem, à revelia, a vinte anos de trabalhos forçados. Portanto, é pouco provável que cometa hoje a imprudência de se mostrar em público. Além disso, os jornais não noticiaram a sua presença na Turquia neste inverno, depois de sua famosa evasão da Santé?

— Ele está neste trem — repetiu a dama, com a intenção cada vez mais marcada de ser ouvida por nosso companheiro. — Meu marido é vice-diretor dos serviços prisionais, e foi o próprio comissário da estação que nos disse que procuravam Arsène Lupin.

— Não é razão...

— Toparam com ele na sala de espera. Tinha comprado uma passagem de primeira classe para Rouen.

— Teria sido fácil agarrá-lo.

— Desapareceu. O fiscal, na entrada da sala de espera, não o viu, mas imaginou que havia passado pelas plataformas dos subúrbios e tivesse pegado o expresso que parte dez minutos depois de nós.

— Nesse caso, eles o pegarão.

— E se no último momento ele tivesse saltado do expresso para vir aqui, no nosso trem... como é provável... como é certo?

— Nesse caso, será aqui que o prenderão. Pois os empregados e os agentes não deixarão de notar a passagem de um trem para outro e, logo que chegarmos a Rouen, o agarrarão com certeza.

— A ele, nunca! Achará um meio de escapar ainda.

— Nesse caso, desejo-lhe feliz viagem.

— Mas daqui até lá, tudo o que ele pode fazer!

— O quê?

— Não sei, pode-se esperar qualquer coisa!

Estava muito agitada, e realmente a situação justificava até certo ponto essa excitação nervosa. Quase contra a vontade, disse-lhe:

— Há de fato coincidências curiosas... mas tranquilize-se. Admitindo que Arsène Lupin esteja num destes vagões, vai ficar quietinho e, em vez de buscar novos aborrecimentos, não terá outra ideia senão evitar o perigo que o ameaça.

Minhas palavras não a acalmaram. Calou-se, porém, receando sem dúvida ser indiscreta.

Eu abri os jornais e li as coberturas do julgamento de Arsène Lupin. Como não continham nada que já não conhecesse, pouco me interessaram. Além disso, estava cansado, tinha dormido mal, e senti minhas pálpebras pesarem e minha cabeça se inclinar.

— Mas, senhor, não me diga que vai dormir!

A mulher me arrancara os jornais e me fitava com indignação.

— Claro que não — respondi. — Não estou com sono.

— Seria a última das imprudências — afirmou.

— A última — repeti.

E lutava energicamente, agarrando-me à paisagem e às nuvens que manchavam o céu. Logo tudo isso ficou borrado, a imagem da mulher ansiosa e do homem dormindo se apagou em meu espírito e o grande, profundo silêncio do sono tomou conta de mim.

Sonhos inconsistentes e leves se revelaram, e um ser que interpretava o papel e levava o nome de Arsène Lupin tinha neles algum lugar. Vinha do horizonte, com objetos preciosos às costas, atravessava as paredes e esvaziava os castelos.

O aspecto desse ser, que já não era mais Arsène Lupin, aliás, se tornou nítido. Vinha para mim, aumentando cada vez mais de tamanho, saltava para o vagão com uma incrível agilidade e ia cair em cheio no meu peito.

Uma dor viva... um grito cortante. Acordei. O homem, o viajante, com um joelho sobre meu peito, me apertava a garganta.

Vi isso vagamente, porque meus olhos estavam injetados de sangue. Vi também a mulher, que tinha convulsões num canto, devido a um ataque de nervos. Nem tentei resistir. Não teria tido força: minhas têmporas zumbiam, eu sufocava, estertorava... Mais um minuto e seria a asfixia.

O homem deve ter sentido isso, pois afrouxou o apertão. Sem se afastar, com a mão direita pegou uma corda em que fizera um laço e, com um gesto seco, me amarrou os dois pulsos. Num instante estava amarrado, amordaçado, imobilizado.

Executou essa tarefa do modo mais natural do mundo, com uma prática em que mostrava o saber de um mestre, de um profissional do roubo e do crime. Nem uma palavra, nem um movimento tenso. Sangue-frio e audácia. E eu lá, no banco, amarrado como uma múmia, eu, Arsène Lupin!

Em verdade, havia do que rir. E apesar da gravidade das circunstâncias, não deixava de admirar o que a situação tinha de irônico e saboroso. Arsène Lupin passado para trás como um novato! Esbulhado como o primeiro passante — pois, naturalmente, o bandido me aliviou da minha bolsa e da minha carteira! Arsène Lupin, vítima por sua vez, bobeado, vencido... Que aventura!

Sobrava a dama. Ele nem prestava atenção nela. Contentou-se em erguer a sacolinha que jazia sobre o tapete e tirar daí as joias, bolsas e as bugigangas de ouro e prata que continha. A mulher abriu um olho, estremeceu de susto, tirou os anéis e os entregou ao homem, como se quisesse lhe poupar todo esforço inútil. Ele pegou os anéis e a fitou: ela desmaiou.

Então, sempre silencioso e calmo, sem se ocupar mais de nós, retomou seu lugar, acendeu um cigarro e se entregou a um exame aprofundado dos tesouros que conquistara, exame que pareceu satisfazê-lo inteiramente.

Fiquei muito menos satisfeito. Não falo dos doze mil francos dos quais fui indevidamente privado: era um prejuízo que só aceitava momentaneamente, contando que os doze mil francos voltariam à minha posse no mais curto espaço de tempo, tal como os importantes papéis que tinha na carteira: projetos, cálculos, endereços, listas de correspondentes, cartas comprometedoras. Mas, de momento, uma preocupação mais imediata e séria me inquietava: o que ia ocorrer?

Como pode imaginar, a agitação causada por minha passagem pela Estação Saint-Lazare não me escapara. Convidado à casa de amigos que frequentava sob o nome de Guillaume Berlat, e para quem minha semelhança com Arsène Lupin era um motivo de piadas carinhosas, não pude me caracterizar à vontade e minha presença foi notada. Além disso, viram um homem se precipitar do expresso para o trem de Rouen. Quem seria senão Arsène Lupin? Assim, inevitável, fatalmente, o comissário de polícia de Rouen, alertado por telegrama, e assistido por um respeitável número de agentes, lá estaria à chegada do trem, interrogaria os viajantes suspeitos e faria uma revista minuciosa nos vagões.

Tudo isso eu previa, mas não estava muito emocionado, convicto de que a polícia de Rouen não seria mais perspicaz que a de Paris, e que eu conseguiria passar desapercebido. Não me bastaria, ao sair, mostrar negligentemente um cartão de deputado, graças ao qual já inspirara toda a confiança ao fiscal de Saint-Lazare? Mas como as coisas tinham mudado! Não estava mais livre. Impossível tentar um de meus golpes habituais. Num dos vagões, o comissário descobriria Sr. Arsène Lupin, que a boa sorte lhe enviava de pés e mãos amarrados, dócil como um cordeiro embalado num pacote, tudo preparado. Só teria de me receber, como uma encomenda postal que lhe mandam à estação, cesta de caça ou de frutas e legumes.

Para evitar esse desfecho infeliz, que podia eu fazer, entrelaçado em minhas tiras? E o expresso corria para Rouen, única e próxima parada, não se detendo em Vernon nem em Saint-Pierre.

Um outro problema me intrigava, de interesse menos diretamente, mas cuja solução despertava minha curiosidade de profissional. Quais seriam as intenções de meu companheiro?

Se eu estivesse sozinho, ele teria tempo de descer tranquilamente em Rouen. Mas e a senhora? Assim que a porta fosse aberta, embora ela estivesse prudente e humilde neste instante, gritaria, e sairia para pedir ajuda.

Daí o meu espanto. Por que ele não a reduzia à mesma impotência que eu, o que lhe daria tempo de desaparecer antes que seu duplo delito fosse descoberto?

Continuava fumando, com o olhar fixo no espaço que uma chuva hesitante começava a raiar com grandes linhas oblíquas. Uma vez, porém, se virou, pegou meu guia e o consultou.

A dama se esforçava por permanecer desmaiada, a fim de tranquilizar seu inimigo. Mas acessos de tosse provocados pela fumaça desmentiam esse desmaio.

Quanto a mim, estava muito contrariado, e muito incomodado. Cismava... planejava...

Pont-de-l'Arche, Oissel... O expresso se apressava, jubiloso, ébrio de velocidade.

Saint-Étienne... Nesse instante, o homem se levantou e deu dois passos para nossa direção, ao que a dama se apressou em responder com um novo grito e um desmaio não simulado.

Qual era o objetivo dele? Baixou o vidro do nosso lado. A chuva agora caía com fúria, e sua expressão marcou o aborrecimento que sentia por não ter guarda-chuva nem sobretudo. Olhou para a rede: a sombrinha da mulher servia. Pegou-a. Igualmente pegou meu sobretudo e o vestiu.

Atravessávamos o Sena. O homem dobrou a barra da calça e a seguir, pendurando-se, levantou a lingueta da porta por fora.

Ia se jogar do trem? Naquela velocidade, seria morte certa. Entramos no túnel aberto no morro Sainte Catherine. O homem abriu a portinhola e com o pé tateou o primeiro degrau. Que loucura! As trevas, a fumaça, o barulho, tudo isso dava uma aparência fantástica àquela tentativa. Mas, de repente, o trem diminuiu a marcha; os freios se opunham ao esforço das rodas. A marcha se tornou normal, depois decresceu. Sem dúvida obras de consolidação estavam programados para essa parte do túnel, que obrigava à passagem em marcha lenta há alguns dias talvez, e o homem sabia disso.

Só teve de colocar o outro pé no degrau, descer ao segundo estribo e sair andando, não sem antes baixar a lingueta e fechar a porta.

Assim que desapareceu, a luz do dia clareou a fumaça. Estávamos em um vale. Mais um túnel e estaríamos em Rouen.

A mulher recobrou os sentidos na hora e sua primeira preocupação foi lamentar a perda de suas joias. Supliquei-lhe com os olhos. Entendeu e me livrou da mordaça que me sufocava. Quis também desatar meus laços; não deixei.

— Não, não, convém que a polícia veja as coisas como estão. Quero que saiba a força desse safado.

— E se puxasse a corda do alarme?

— Tarde demais, devia pensar nisso quando ele me atacou.

— Mas teria me matado! Ah, senhor, eu lhe tinha dito que ele estava neste trem! Pelo retrato dele, reconheci-o imediatamente. E foi-se embora com as minhas joias!

— Hão de encontrá-lo, não tenha medo.

— Encontrar Arsène Lupin! Nunca.

— Isso depende da senhora. Escute. Assim que chegarmos, fique na portinhola e chame, faça barulho. Agentes e empregados acudirão. Conte-lhes o que viu em poucas palavras, a agressão de que fui vítima e a fuga de Arsène Lupin; descreva-o, chapéu de feltro, um guarda-chuva — o seu — e um sobretudo cinza acinturado.

— O seu — disse.

— Como o meu? Não, o dele. Não trouxe sobretudo.

— Pareceu-me que ele também não, quando subiu.

— Sim, talvez. Podia ter sido esquecido na rede. De qualquer modo, estava com ele quando desceu e isso é o essencial. Um sobretudo cinza acinturado, lembre-se. Ah! Já ia me esquecendo: diga de saída o seu nome. A função do seu marido ajudará a que se mexam mais.

Chegamos. Ela já se dirigia à porta e prossegui com voz firme, quase imperiosa, para que minhas palavras se gravassem no seu cérebro:

— Diga-lhes também o meu nome, Guillaume Berlat. O melhor é falar que me conhece, pois isso nos poupará tempo; encerram logo o inquérito preliminar e o importante é que saiam atrás de Arsène Lupin e de suas joias. Não há problema, não é? Guillaume Berlat, um amigo do seu marido.

— Entendido... Guillaume Berlat.

Ela já estava chamando e gesticulando. O trem não tinha parado, e um cidadão nele subia, seguido de vários outros. A hora crítica chegava. Ofegante, a dama bradou:

— Arsène Lupin... nos atacou... roubou minhas joias... Sou Sra. Renaud... meu marido é vice-diretor dos serviços penitenciários... Ah! olhem, este é o meu irmão, Georges Ardelle, diretor do Crédit Rouennais... devem conhecer...

Beijou um jovem que vinha até nós e que o comissário cumprimentou, e prosseguiu, chorosa:

— Sim, Arsène Lupin... enquanto este senhor dormia, pulou na sua garganta... É Sr. Berlat, amigo do meu marido.

O comissário perguntou:

— Mas onde está Arsène Lupin?

— Saltou do trem no túnel depois do Sena.

— Está certa de que era ele?

— Certíssima! Eu o reconheci perfeitamente. Aliás, o viram na Estação Saint-Lazare. Usava um chapéu de feltro, mole.

— Não... duro, como este aqui — retificou o comissário indicando o meu chapéu.

— Mole... afirmo — repetiu Sra. Renaud —, e um sobretudo cinza acinturado.

— Com efeito — murmurou o comissário —, o telegrama registra esse sobretudo cinza com gola de veludo preto.

— Com gola de veludo preto justamente — exclamou Sra. Renaud triunfante.

Respirei. Ah, a corajosa, a excelente amiga que eu tinha ali!

Os agentes, enquanto isso, me tinham livrado das amarras. Mordi violentamente os lábios, escorreu sangue. Curvado, com o lenço na boca, como convém a um indivíduo que ficou muito tempo numa posição incômoda, e que traz no rosto o sinal sanguinolento da mordaça, disse ao comissário, numa voz enfraquecida.

— Senhor, era Arsène Lupin, não há dúvida... Se se esforçarem, podem pegá-lo. Julgo que posso lhe ser de alguma utilidade.

O vagão, que devia servir aos exames periciais, foi destacado, e o trem seguiu para o Havre. Fomos levados para o escritório do chefe da estação, em meio a uma multidão de curiosos que enchiam a plataforma.

Nesse momento tive uma hesitação. Sob um pretexto qualquer, podia me afastar, ir tomar meu automóvel e sumir. Esperar era perigoso. Ocorresse um incidente, chegasse uma mensagem de Paris e estava perdido.

Sim, mas e o meu ladrão? Dispondo apenas de meus próprios recursos, numa região que não me era familiar, não podia ter certeza de agarrá-lo.

"Ah, vamos contar com o acaso, e ficar" disse a mim mesmo. "A partida é difícil de vencer, mas tão divertida de disputar! E o prêmio vale a pena."

Como pediram que repetíssemos nossos depoimentos, reclamei:

— Senhor comissário, Arsène Lupin está ganhando distância. Meu carro me aguarda aqui na estação. Se quiser me dar o prazer de ir junto comigo, procuraríamos...

O comissário sorriu com ar fino:

— A ideia não é má... tanto que está em vias de execução.

— Ah!

— Sim, senhor, dois de meus agentes partiram de bicicleta... já faz um certo tempo.

— Mas para onde?

— Para a própria saída do túnel. Ali colherão indícios, testemunhos e seguirão a pista de Arsène Lupin.

Não pude me impedir de alçar os ombros.

— Seus dois agentes não colherão nem indício nem testemunho.

— Realmente?!

— Arsène Lupin deve ter tido o cuidado para que ninguém o visse sair do túnel. Deve ter ido para a primeira estrada e daí...

— E daí, Rouen, onde o prenderemos.

— Não virá a Rouen.

— Ficará então nos arredores, onde somos ainda mais fortes...

— Não ficará nos arredores.

— Oh! Oh! E onde se esconderá?

Tirei meu relógio.

— A esta hora, Arsène Lupin provavelmente está perto da estação de Darnétal. Às dez e cinquenta, ou seja, dentro de vinte e dois minutos, tomará o trem que sai da Estação Norte de Rouen para Amiens.

— Acha? E como sabe?

— Oh, é simples. No compartimento, Arsène Lupin consultou o meu guia. Por que motivo? Haveria, não longe do lugar em que desapareceu, uma outra linha, uma estação nessa linha, e um trem parando aí?

De minha parte, acabo de consultar o guia, que me deu essa informação.

— Na verdade, senhor — disse o comissário —, deduziu maravilhosamente. Que perspicácia!

Levado por minha convicção, cometera uma imprudência demonstrando tanta habilidade. Olhava-me com espanto e julguei sentir que uma suspeita o roçara. Mas só roçara, porque as fotografias enviadas a todos os lados pela polícia eram muito imperfeitas, representavam um Arsène Lupin muito diferente do que tinha diante dele, para que lhe fosse possível reconhecer-me. Mas, assim mesmo, estava perturbado, numa confusa preocupação.

Houve um instante de silêncio. Algo de equívoco e incerto deteve nossas palavras. Um arrepio de mal-estar por mim passou. Iria a sorte se virar contra mim? Dominando-me, ri.

— Meu Deus, nada nos abre tanto as ideias quanto a perda de uma carteira e o desejo de reencontrá-la. E me parece que, se quiser me emprestar dois de seus agentes, eles e eu talvez possamos...

— Oh, eu lhe peço, senhor comissário — exclamou Sra. Renaud —, ouça Sr. Berlat.

A intervenção de minha ótima amiga foi decisiva. Pronunciado por ela, mulher de uma influente personalidade, esse nome, Berlat, tornava-se realmente meu e me conferia uma identidade que nenhuma suspeita poderia atingir. O comissário se ergueu:

— Ficarei felicíssimo, Sr. Berlat, acredite-me, se tiver êxito. Tanto quanto ao senhor, importa-me a prisão de Arsène Lupin.

Levou-me até o carro. Dois de seus agentes, que me apresentou, Honoré Massol e Gaston Delivet, tomaram assento. Coloquei-me na direção. Meu mecânico virou a manivela. Uns segundos depois deixamos a estação. Estava salvo.

Ah, admito que rodando pelas avenidas que circundam a velha cidade normanda, na marcha possante do meu trinta e cinco cavalos Moreau Lepton, não deixei de conceber algum orgulho. O motor roncava harmoniosamente. À direita e à esquerda, as árvores fugiam atrás de nós. E livre, fora de perigo, só tinha agora que acertar meus pequenos negócios pessoais, com o concurso de dois honestos representantes da força pública. Arsène Lupin ia em busca de Arsène Lupin!

Modestos sustentáculos da ordem social, Delivet Gaston e Massol Honoré, quanto sua assistência me foi preciosa! Que teria feito sem vocês? Sem vocês quantas vezes, nos cruzamentos, teria escolhido a estrada errada? Sem vocês Arsène Lupin se enganaria e o outro teria escapado!

Mas nem tudo havia acabado. Longe disso. Restava-me primeiro pegar o indivíduo e em seguida me apoderar dos papéis que me tinha subtraído. A nenhum preço meus dois acólitos podiam meter o nariz nesses documentos, e ainda menos ficar com eles. Servir-me deles e agir por trás deles, eis o que eu queria e não era fácil conseguir.

Em Darnétal, chegamos três minutos depois de o trem ter passado. Por certo tive o consolo de ser informado de que um indivíduo, com um sobretudo cinza com gola de veludo preto, tinha subido num compartimento da segunda classe, com uma passagem para Amiens. Sem dúvida, minha estreia como policial prometia. Delivet me disse:

— O trem é expresso e não para senão em Montérolier-Buchy, dentro de dezenove minutos. Se não chegarmos antes de Arsène Lupin, ele pode tanto continuar para Amiens como desviar para Clères, e daí atingir Dieppe ou Paris.

— Que distância há daqui a Montérolier?

— Vinte e três quilômetros.

— Vinte e três quilômetros, dezenove minutos... estaremos lá antes dele.

Foi uma corrida. Nunca o meu fiel Moreau-Lepton respondeu à minha impaciência com mais ardor e regularidade. Parecia que lhe comunicava minha vontade diretamente, sem a intermediação de pedais e alavancas. Ele partilhava os meus desejos. Aprovava minha obstinação. Entendia minha animosidade contra aquele tratante do Arsène Lupin. O embusteiro! O traidor! Conseguiria ensiná-lo, ou ia zombar mais uma vez da autoridade de que eu era a encarnação?

— À direita — gritava Delivet. — À esquerda!... Em frente!...

Deslizávamos acima do solo. Os marcos da estrada pareciam animaizinhos medrosos que se evaporavam à nossa aproximação.

E de repente, numa curva, um turbilhão de fumaça, o Expresso do Norte.

Por um quilômetro foi a luta lado a lado, luta desigual cujo resultado era conhecido. Na chegada, nós o batemos por vinte corpos.

Em três segundos estávamos na plataforma diante das segundas classes. As portinholas se abriram. Algumas pessoas desceram. Meu ladrão, não. Inspecionamos os compartimentos. Nada de Arsène Lupin.

— Ih! — exclamei. — Ele me reconheceu no automóvel enquanto andávamos lado a lado e deve ter saltado do trem.

O chefe do trem confirmou essa suposição. Tinha visto um homem rolando pela rampa a duzentos metros da estação.

— Olhe, lá vai... Aquele que está atravessando a passagem de nível.

Acometi, seguido de meus dois acólitos, ou antes, seguido de um deles, porque o outro, Massol, era um corredor excepcional, tanto em resistência como em velocidade. Em instantes, o espaço que o separava do fugitivo diminuiu muito. Esse viu Massol, saltou uma sebe e correu rápido a uma encosta que escalou. Depois o vislumbramos mais longe, entrando num bosquezinho.

Quando chegamos ao bosque, Massol nos esperava; julgara inútil aventurar-se mais, no receio de se perder de nós.

— Cumprimento-o, meu amigo — disse-lhe. — Depois duma corrida dessas nosso indivíduo deve estar sem fôlego. Havemos de agarrá-lo.

Examinei os arredores, refletindo na maneira de realizar sozinho a prisão do fugitivo, a fim de fazer eu mesmo recuperações que a justiça sem dúvida só permitiria depois de muitos inquéritos desagradáveis. Em seguida voltei a meus companheiros.

— É fácil. Você, Massol, fique à esquerda; você, Delivet, à direita. Daí vigiarão toda a linha posterior do bosque e, sem que o vejam, ele não poderá sair, a não ser por esta abertura, onde fico eu. Se ele não sair, eu entro e forçosamente o desviarei sobre um ou outro de vocês. Vocês necessitam, pois, aguardar. Ah, esquecia, em caso de alerta, deem um tiro para o alto.

Massol e Delivet se afastaram, cada um para seu lado. Logo que desapareceram, penetrei no bosque com a maior cautela, de modo a não ser visto nem ouvido. A vegetação era espessa, mas desbastada para a caça e cortada por sendas muito estreitas, em que não era possível caminhar senão curvado, como dentro de subterrâneos.

Um deles levava a uma clareira, onde a erva molhada apresentava marcas de passos. Segui as marcas, tendo o cuidado de deslizar através dos desbastados, que me levaram até uma pequena elevação, coroada por um casebre feito de restos e meio demolido.

"Deve estar lá", pensei. "O observatório foi bem escolhido."

Rastejei até perto da construção. Um breve ruído me confirmou a sua presença, e, realmente, por uma abertura, eu o vi de costas.

Em dois pulos estava em cima dele. Tentou me apontar o revólver que tinha na mão, mas não lhe dei tempo e o derrubei por terra, de modo que seus braços ficaram debaixo dele, torcidos, e eu pesando com meu joelho no seu peito.

— Escute, menino — disse-lhe ao ouvido —, sou Arsène Lupin. Vai me entregar em seguida e de boa vontade a minha carteira e a sacola da dama... mediante o que eu o tirarei das garras da polícia e o empregarei entre meus amigos. Uma palavra apenas: sim ou não?

— Sim — murmurou.

— Tanto melhor. Esta manhã o seu golpe foi muito bem dado. Nós nos entenderemos. Levantei-me. Mexeu no bolso, tirou dele uma faca comprida e quis me ferir.

— Imbecil! — gritei.

Com uma mão desviei o ataque e, com a outra, dei-lhe um golpe violento na artéria carótida externa, o que se chama "gancho na carótida". Caiu, desancado.

Na minha carteira, reencontrei meus papéis e minhas cédulas. Por curiosidade, olhei a dele. Num envelope a ele endereçado, li seu nome: Pierre Onfrey.

Sobressaltei-me. Pierre Onfrey, o assassino da Rue Lafontaine, em Auteuil! Pierre Onfrey, o que estrangulara Sra. Delbois e suas duas filhas! Inclinei-me sobre ele. Sim, era este rosto que, no trem, tinha despertado em mim a lembrança de traços já contemplados.

Mas o tempo passava. Coloquei num envelope duas notas de cem francos, um cartão e estas palavras:

"*Arsène Lupin a seus bons colegas Honoré Massol e Gaston Delivet, em sinal de reconhecimento.*"

Pus isso em evidência no meio da peça e, ao lado, a sacola da Sra. Renaud. Poderia não a devolver à excelente amiga que me tinha socorrido?

Confesso, porém, que retirei tudo o que apresentava algum interesse, não deixando nela senão um pente de tartaruga e um porta-moeda vazio. Que diabo! Negócio é negócio. E depois, realmente, seu marido exerce uma função tão pouco honrosa!...

Sobrava o homem. Começava a se mexer. Que decidir? Não tinha qualidade nem para salvá-lo nem para condená-lo.

Tirei-lhe as armas e dei um tiro para o ar.

"Os dois outros vão vir", pensei, "ele que se arranje. As coisas se consumarão no sentido do seu destino."

E afastei-me com rapidez pelo caminho da clareira.

Vinte minutos mais tarde, uma estrada transversal que tinha notado na nossa perseguição me conduziu a meu automóvel.

Às quatro horas, telegrafava a meus amigos de Rouen que um incidente imprevisto me constrangia a adiar minha visita. Entre nós, receio muito, diante do que devem saber agora, ser obrigado a adiá-la indefinidamente. Amarga desilusão para eles!

Às seis horas, voltava a Paris pela Isle-Adam, por Enghien e pelo pórtico Bineau.

Os jornais da tarde me informaram que haviam, enfim, conseguido prender Pierre Onfrey.

No dia seguinte — não menosprezemos as vantagens de uma propaganda inteligente — o *Écho de France* publicava esta nota sensacional:

Ontem, nos arredores de Buchy, depois de numerosos incidentes, Arsène Lupin realizou a prisão de Pierre Onfrey. O assassino da Rue Lafontaine acabava de furtar, na linha Paris — Le Havre, Sra. Renaud, esposa do vice-diretor dos serviços penitenciários. Arsène Lupin restituiu a Sra. Renaud a sacola que continha as joias, e recompensou generosamente os dois agentes da Sûreté que o tinham ajudado no curso dessa dramática prisão.

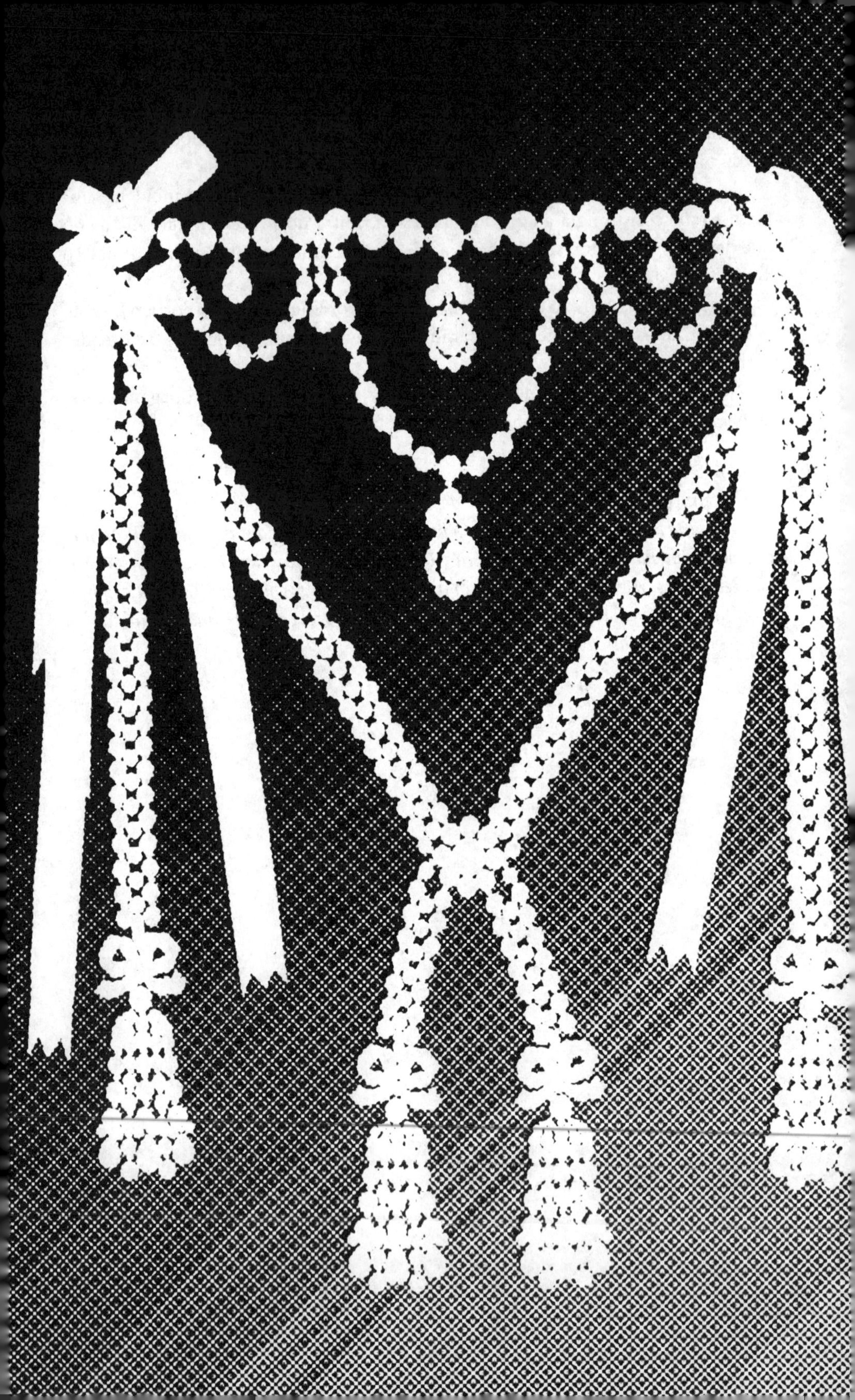

O COLAR DA RAINHA

Duas ou três vezes por ano, em solenidades importantes, como os bailes da embaixada austríaca ou as festas de Lady Billingstone, a condessa de Dreux-Soubise punha sobre seus brancos ombros o colar da rainha.

Era realmente o famoso colar lendário que Bohmer e Bassenge, joalheiros da coroa, destinavam à Du Barry, que então o Cardeal de Rohan-Soubise julgou oferecer a Maria Antonieta, rainha da França, e que a aventureira Jeanne de Valois, condessa de la Motte, desmanchou numa noite de fevereiro de 1785, com a ajuda de seu marido e do cúmplice, Rétaux de Villette.

Para falar a verdade, só a moldura era genuína. Rétaux de Villette a conservara, enquanto o senhor de la Motte e sua mulher dispersavam aos quatro ventos as pedras brutalmente desengastadas, as admiráveis pedras tão cuidadosamente escolhidas por Bohmer. Mais tarde, na Itália, vendeu a armação a Gaston de Dreux-Soubise, sobrinho e herdeiro do cardeal, salvo por ele da ruína quando da ressonante falência de Rohan-Guéménée. Gaston, em memória do tio, comprou os poucos diamantes que sobravam, na posse do joalheiro inglês Jefferys, completou-os com outros de valor bem menor, mas da mesma dimensão, e chegou a reconstituir o maravilhoso colar, tal como tinha saído das mãos de Bohmer e Bassenge.

Dessa joia histórica, durante mais de um século, os Dreux-Soubise se orgulharam. Embora circunstâncias diversas tivessem diminuído consideravelmente sua fortuna, preferiam baixar o nível de vida em casa do que vender a monárquica e preciosa relíquia. Em particular o conde atual apega-se a ela como outros se apegam à casa paterna. Por cautela, tinha alugado um cofre no Crédit Lyonnais para depositá-la. Ia ele mesmo buscá-la na tarde do dia em que sua mulher queria usá-la, e a levava ele mesmo no dia seguinte.

Naquela noite, na recepção do Palácio de Castela — a aventura remonta ao início do século —, a condessa fez um verdadeiro sucesso, e o Rei Christian, em honra de quem a festa era dada, comentou sua beleza esplêndida. As pedrarias radiavam em torno do gracioso pescoço. As mil facetas dos diamantes brilhavam e cintilavam como labaredas à claridade das luzes. Nenhuma mulher além dela, parecia, teria podido levar com tanta naturalidade e nobreza o peso do adorno.

Foi um triunfo duplo, que o Conde de Dreux saboreou profundamente, e de que se congratulava quando entraram no quarto de sua velha mansão do bairro de Saint-Germain. Estava orgulhoso de sua mulher e igualmente da joia que ilustrava sua casa há quatro gerações. A mulher extraía dela uma vaidade um tanto infantil, mas que era bem típica do seu caráter arrogante.

Não sem pesar, tirou o colar e o entregou ao marido, que o examinou com admiração, como se não o conhecesse. Depois, colocando-o no estojo de couro vermelho com as armas do cardeal, passou a um gabinete, antes uma espécie de alcova, que tinham isolado completamente do quarto e cuja única entrada era ao pé do leito deles. Como das outras vezes, escondeu o estojo numa tábua bem alta, entre caixas de chapéus e pilhas de roupa branca. Fechou a porta e foi se despir.

De manhã, levantou-se pelas nove horas, com a intenção de ir, antes do almoço, ao Crédit Lyonnais. Vestiu-se, bebeu uma xícara de café e foi às cavalariças. Deu suas ordens. Um dos cavalos o preocupava, e ele o fez andar e trotar diante de si no jardim. Em seguida veio reunir-se à mulher.

Ela não tinha ainda deixado o quarto e se penteava, com o auxílio da empregada. Disse-lhe:

— Vai sair?

— Sim... para levar o colar.

— Ah! De fato... é mais seguro...

Entrou no gabinete. Mas, ao fim de uns segundos, perguntou, sem a menor surpresa:

— Você o pegou, querida? Ela replicou:

— Como? Com certeza não, não peguei nada.

— Tirou-o do lugar, então.

— De modo nenhum... Nem mesmo abri essa porta.

Ele surgiu, descomposto, e balbuciou numa voz que mal se ouvia:

— Não o tirou?... Não foi você?... Então... Ela acorreu e procuraram febrilmente, atirando ao solo as caixas de papelão e desfazendo os montes de roupa branca. O conde repetia:

— Inútil... tudo o que fazemos é inútil... Foi aí, nessa tábua, que o coloquei.

— Você pode ter-se enganado.

— Foi aí, nessa tábua, e não noutra parte. Acenderam uma vela, pois a peça era bastante escura, e tiraram toda a roupa e todos os objetos que a enchiam. Quando não havia mais nada no gabinete, tiveram de confessar com desespero que o famoso colar, o colar da rainha, tinha sumido. De natureza resoluta, a condessa, sem perder tempo em vãs lamentações, mandou avisar o comissário, Sr. Valorbe, de que tinham tido já a ocasião de apreciar o espírito sagaz e a clarividência. Puseram-no a par da situação em detalhes e ele perguntou:

— Está seguro, senhor conde, de que ninguém pode atravessar o seu quarto de noite?

— Absolutamente seguro. Tenho o sono muito leve. Melhor ainda: a porta deste quarto estava fechada com o ferrolho. Tive de tirá-lo esta manhã quando minha mulher chamou a empregada.

— E não existe outra passagem que permita entrar no gabinete?

— Nenhuma.

— Nada de janela?

— Sim, mas inutilizada.

— Desejaria ver de que modo...

Acenderam velas e em seguida Sr. Valorbe observou que a janela não estava inutilizada senão até meia altura por um baú que, além disso, não estava bem encostado nela.

— Está encostado suficientemente — replicou Sr. de Dreux — para que seja impossível deslocá-lo sem fazer muito barulho.

— E para onde dá esta janela?

— Para um pátio interno.

— E há mais um andar acima deste?

— Dois, mas ao nível do andar dos empregados. O pátio está protegido por uma grade de ferro de furos estreitos. É por isso que temos pouca luz.

Aliás, quando afastaram o baú, constataram que a janela estava fechada, o que não ocorreria se alguém tivesse entrado de fora.

— A menos — observou o conde — que esse alguém não tenha saído pelo nosso quarto.

— Caso em que o senhor não teria encontrado o ferrolho do quarto fechado.

O comissário refletiu um instante e se virou para a condessa:

— Entre suas relações, senhora, alguém sabia que usaria esse colar ontem à noite?

— Certamente, não ocultei. Mas ninguém sabia que o fechávamos neste gabinete.

— Ninguém?
— Ninguém... A menos que...
— Peço-lhe, senhora, seja precisa. Esse é um ponto dos mais importantes. Ela disse ao marido:
— Pensava em Henriette.
— Henriette? Ela ignora esse pormenor tanto quanto os demais.
— Tem certeza?
— Quem é essa senhora? — inquiriu Valorbe.
— Uma amiga do colégio de freiras, que brigou com a família para casar com uma espécie de operário. Quando seu marido faleceu, eu a recolhi com o seu filho e coloquei à sua disposição um apartamento nesta mansão.
E acrescentou com embaraço:
— Ela me presta alguns serviços. É muito habilidosa com as mãos.
— Em que andar mora?
— No nosso, não longe, por sinal... no fim deste corredor. E até, estou pensando... a janela da sua cozinha...
— Dá para este pátio, não é?
— Sim, bem em frente à nossa.
Um silêncio seguiu-se a essa declaração. Em seguida Valorbe pediu que o levassem a Henriette.

Ela estava costurando, enquanto seu filho Raoul, um garoto de seis a sete anos, lia a seu lado. Bem surpreendido de ver o miserável apartamento que haviam mobiliado para ela, e que se compunha ao todo de uma peça sem lareira e de um canto servindo de cozinha, o comissário a interrogou. Pareceu transtornada ao saber do roubo ocorrido. Na véspera, à noite, ela própria tinha vestido a condessa e prendido o colar em volta do pescoço.
— Meu Deus! — bradou. — Nunca acreditaria!
— E não tem nenhuma ideia, nenhuma desconfiança? É possível que o culpado tenha passado pelo seu quarto.
Riu à vontade, sem sequer imaginar que pudesse ser alvo de alguma suspeita.
— Mas nem saí do meu quarto! Eu não saio nunca. E depois, o senhor não viu? Abriu a janela da cozinha.
— Repare, há pelo menos três metros até a borda oposta.
— Quem lhe disse que encaramos a hipótese de um roubo realizado por aí?
— Mas... o colar não estava no gabinete?
— Como sabe?
— Oh, sempre soube que o punham ali de noite... falavam na minha frente...
Seu rosto, ainda jovem, mas que os dissabores tinham descolorido, mostrava uma grande doçura e resignação. No entanto teve súbito, no silêncio, uma expressão de angústia, como se um perigo a tivesse ameaçado. Puxou seu filho contra si e a criança lhe pegou na mão e beijou-a ternamente.

— Não posso admitir — disse o Sr. de Dreux ao comissário quando ficaram sozinhos — que suspeite dela. Respondo por ela. É a honestidade em pessoa.

— Oh, sou inteiramente de sua opinião — afirmou Sr. Valorbe. — O máximo que pensei foi numa cumplicidade inconsciente. Mas reconheço que essa explicação deve ser abandonada, ainda mais que não resolve em nada o problema que enfrentamos.

O comissário não levou adiante o inquérito, que o juiz de instrução retomou e completou nos dias seguintes. Interrogaram-se os criados, verificou-se o estado do ferrolho, fizeram-se experiências de fechar e abrir a janela do gabinete, explorou-se o pátio de alto a baixo... Tudo em vão. O ferrolho estava intacto. A janela não podia ser aberta nem fechada por fora.

As buscas visaram especialmente a Henriette, pois, apesar de tudo, retornava-se sempre a esse lado. Devassaram minuciosamente sua vida, verificando que, em três anos, só saíra quatro vezes da mansão, e as quatro vezes para diligências que se puderam determinar. Na realidade, servia de aia e de costureira para Sra. de Dreux, que se mostrava em relação a ela duma exigência que todos os empregados, confidencialmente, testemunharam.

— Ademais — dizia o juiz de instrução, que, ao fim de uma semana, chegara às mesmas conclusões que o comissário —, admitindo que cheguemos a conhecer o culpado, e estamos longe disso, nem por isso estaríamos mais perto de saber como o roubo foi cometido. Estamos barrados à direita e à esquerda por dois obstáculos: uma porta e uma janela fechadas. O mistério é duplo! Como puderam se introduzir e como, o que é bem mais difícil, puderam escapar deixando atrás de si uma porta aferrolhada e uma janela fechada?

No fim de quatro meses de investigações, a ideia secreta do juiz era esta: o casal De Dreux, premido por questões de dinheiro, tinha vendido o colar da rainha. Arquivou o caso.

O furto da preciosa joia foi para os Dreux-Soubise um golpe de que guardaram muito tempo a marca. O crédito deles, deixando de ser apoiado pela espécie de reserva que constituía tal tesouro, os pôs ante credores mais rigorosos e financiadores menos módicos. Tiveram de lançar mão do capital, alienar, hipotecar — em suma, teria sido a ruína se duas consideráveis heranças de parentes afastados não os tivessem salvado.

Sofreram também no amor-próprio, como se houvessem perdido um título de nobreza. E, coisa fora do normal, foi contra sua velha amiga de pensionato que a condessa se voltou. Sentia em relação a ela verdadeiro rancor e a acusava abertamente. Primeiro a relegaram ao andar dos criados, depois despediram-na de um dia para o outro.

E a vida passou, sem acontecimentos incomuns. Viajavam muito.

Houve apenas um fato, durante esse período, digno de destaque. Meses depois da partida de Henriette, a condessa recebeu uma carta sua que a encheu de surpresa:

Senhora,
Não sei como lhe agradecer. Foi a senhora que me enviou isso, não foi? Não podia ser outra pessoa, pois ninguém conhece o meu retiro no fundo desta vilazinha. Se me

engano, desculpe-me e receba ao menos a expressão do meu reconhecimento por suas bondades passadas...

Que queria dizer? As bondades presentes ou passadas da condessa para ela se reduziam a muitas injustiças. Que significavam esses agradecimentos?

Forçada a se explicar, respondeu que recebera pelo correio, num envelope não registrado nem com valor declarado, duas notas de mil francos. Anexava o envelope à resposta: estava carimbado de Paris e trazia apenas o seu endereço, escrito numa letra visivelmente disfarçada.

De onde provinham esses dois mil francos? Quem os tinha mandado? A justiça procurou se informar, mas que pista poderia seguir nessas trevas?

O mesmo fato se repetiu doze meses depois. E uma terceira vez; e uma quarta; e a cada ano, durante seis anos, com a diferença de que no quinto e no sexto a cifra foi duplicada, o que permitiu a Henriette, que contraíra uma enfermidade, tratar-se adequadamente.

Ainda uma diferença: tendo a administração do correio interceptado uma das cartas sob o pretexto de não ter valor declarado, as duas últimas cartas foram enviadas segundo o regulamento, a primeira datada de Saint-Germain, a outra de Suresnes. O remetente assinou de início Anquety, depois Péchard.

Os endereços que deu eram falsos.

No fim de seis anos, Henriette morreu, e o enigma permaneceu intacto.

Todas essas ocorrências são conhecidas pelo público. O caso apaixonou a opinião pública. Era um destino estranho o daquele colar que, depois de ter sacudido a França no fim do século XVIII, desencadeava ainda tanta emoção cento e vinte anos depois. Mas o que vou dizer todos ignoram, fora os principais interessados e algumas pessoas a quem o conde pediu sigilo absoluto. Como é provável que um dia ou outro faltem à sua promessa, não tenho, por mim, nenhum escrúpulo em rasgar o véu, e assim se saberá, além da chave do enigma, o motivo da carta publicada pelos jornais anteontem de manhã, carta extraordinária que acrescentou ainda, se é que era possível, um pouco de sombra e mistério às obscuridades desse drama.

Ocorreu há cinco dias. Entre os convidados que almoçavam na casa de Sr. de Dreux-Soubise, achavam-se suas duas sobrinhas e sua prima e, de homens, o magistrado d'Essaville, o deputado Bochas, o cavaleiro Floriani, que o conde conhecera na Sicília, e um general, o Marquês de Rouzières, o velho camarada de suas relações.

Depois da refeição, as senhoras serviram o café e os homens tiveram permissão para um cigarro, com a condição de ficarem no salão. Palestrava-se. Uma das moças se distraiu em tirar a sorte pelas cartas. A seguir se falou em crimes célebres. E a esse propósito Sr. de Rouzières, que não perdia ocasião de implicar com o conde, lembrou a aventura do colar, assunto a que Sr. de Dreux tinha horror.

Cada um emitiu seu parecer, reiniciando a instrução a seu modo. E, naturalmente, as hipóteses se contradiziam e eram igualmente inadmissíveis.

— E o senhor? — perguntou a condessa ao Cavaleiro Floriani. — Qual a sua opinião?

— Oh! não tenho opinião, senhora.

Reclamaram. O cavaleiro justamente acabava de contar com brilho diversas aventuras em que tinha tomado parte com seu pai, magistrado em Palermo, onde se tinham fortalecido seu juízo e gosto por essas questões.

— Confesso — disse — que me aconteceu ter êxito em casos a que os mais hábeis renunciaram. Mas daí a me considerar um Sherlock Holmes... Ademais sei pouco a respeito desse caso.

Voltaram-se para o dono da casa. A contragosto, teve de resumir os fatos. O cavaleiro escutou, refletiu, fez algumas perguntas e murmurou:

— Engraçado, à primeira vista não me parece que a coisa seja tão difícil de adivinhar.

O conde alçou os ombros, mas os outros se comprimiram em torno do cavaleiro e ele continuou num tom um tanto dogmático:

— Em geral, para rastrear o autor dum crime ou dum roubo, é preciso determinar como esse crime ou roubo foram cometidos. No caso atual nada mais simples, a meu ver, pois nós nos achamos diante não de diversas hipóteses, mas de uma certeza, única, rigorosa, a saber: o indivíduo só podia entrar pela porta do quarto ou pela janela do gabinete. Ora, não se abre por fora uma porta aferrolhada. Portanto, ele entrou pela janela.

— Estava fechada e foi encontrada fechada — declarou Sr. de Dreux.

— Para isso — continuou Floriani, sem se deter com a interrupção — não precisou mais que colocar uma ponte, prancha ou escada entre o balcão da cozinha e a borda da janela, e já que o estojo...

— Mas eu lhe repito que a janela estava fechada — bradou o conde, impaciente.

Dessa vez Floriani teve de responder. E o fez com grande calma, como alguém que não se perturba com uma objeção insignificante:

— Acredito que estivesse, mas não possuía uma claraboia?

— Como sabe?

— Primeiro por ser quase uma regra nas mansões construídas na época desta, e em seguida porque deve ser assim, já que de outra maneira o roubo seria inexplicável.

— Com efeito, existe um, mas fechado, como a janela. Nem atentaram para ele.

— Foi um erro. Pois, se tivessem atentado, teriam visto claramente que tinha sido aberto.

— E como?

— Suponho que, como os outros, essa claraboia se abra por meio dum fio de ferro trançado, munido dum anel na ponta inferior, não?

— Sim.

— E esse anel pendia entre a janela e o baú?
— Sim, mas não compreendo...
— Veja: por uma fenda feita na vidraça, pode-se, com a ajuda dum instrumento qualquer, digamos uma varinha de ferro provida dum gancho, agarrar o anel, puxá-lo e abrir a claraboia.
O conde riu:
— Perfeito! Perfeito! Desvenda tudo tão naturalmente! Mas esquece uma coisa, meu caro: é que não existe fenda feita na vidraça.
— Deve haver uma fenda.
— Ora, nós a teríamos visto.
— Para ver é preciso olhar, e não olharam. A fenda existe, é materialmente impossível que não exista, ao longo da vidraça contra o caixilho, no sentido vertical.
O conde se levantou. Parecia superexcitado. Andou de um lado a outro nervosamente e, acercando-se de Floriani:
— Nada mudou lá em cima desde aquele dia... Ninguém pôs os pés no gabinete.
— Nesse caso, senhor, poderá confirmar que a minha explicação concorda com a realidade.
— Não concorda com nenhum dos fatos que a justiça constatou. Não viu nada, não sabe nada e vai de encontro a tudo o que vimos e sabemos.
Floriani não pareceu notar a irritação do conde, e disse, sorrindo:
— Meu amigo, estou buscando ver com lucidez, apenas isso. Se me engano, demonstre o meu erro.
— Sem demora... Confesso que, com o tempo, sua segurança...
Sr. de Dreux mastigou ainda umas palavras; de repente foi até a porta e saiu.
Nenhuma palavra foi dita. Esperava-se ansiosamente, como se, de fato, uma parcela da verdade fosse aparecer. O silêncio adquiriu extrema gravidade.
Por fim o conde surgiu no umbral da porta. Estava pálido e agitado. Disse aos amigos, com voz trêmula:
— Peço-lhes perdão... as revelações do senhor foram tão imprevistas... nunca teria pensado...
Sua mulher perguntou avidamente:
— Fale, peço-lhe. Que há? Balbuciou:
— A fenda existe. No próprio lugar indicado, ao longo do caixilho...
Pegou bruscamente no braço do cavaleiro e lhe disse em tom imperioso:
— Agora, continue. Reconheço que tinha razão até aqui, mas não acabou. Diga o que ocorreu, a seu ver.
Floriani se esquivou delicadamente e, depois de um instante, disse:
— Bem, segundo penso, eis o que se passou: o indivíduo, sabendo que Sra. de Dreux ia ao baile com o colar, colocou sua prancha durante a ausência dos dois. Espreitou pela janela e viu-o esconder a joia. Quando o senhor saiu, cortou o vidro e puxou o anel.

— Mas a distância é demasiada grande para que pudesse, pela claraboia, alcançar o fecho da janela.

— Se não pôde abri-la, foi porque entrou pela própria claraboia.

— Impossível; não há homem tão delgado que possa penetrar por ali.

— Então não foi um homem.

— Como!

— Sem dúvida. Se a passagem é muito estreita para um homem, forçosamente foi uma criança.

— Uma criança!

— Não me disse que a sua amiga Henriette tinha um filho?

— De fato... um menino que se chamava Raoul.

— É infinitamente provável que tenha sido Raoul quem cometeu o roubo.

— Que prova apresenta?

— Que prova?... Provas não faltam. Por exemplo...

Calou-se e refletiu alguns segundos. Prosseguiu:

— Por exemplo, essa prancha: não é de crer que a criança a tenha trazido e levado sem ter sido notada. Deve ter empregado o que estava à sua disposição. No canto em que Henriette cozinhava havia tábuas presas na parede para colocar as panelas, não é?

— Duas, tanto quanto me lembro.

— Seria preciso verificar se essas pranchas estão de fato presas nos apoios de madeira que as sustentam. Caso contrário, estaríamos autorizados a pensar que o menino as despregou, juntando depois uma à outra. Talvez, já que havia um fogão, se achasse também o gancho de fogão de que se serviu para abrir a claraboia.

Sem dizer palavra o conde saiu, e desta vez os assistentes não sentiram nem mesmo a pequena ansiedade do desconhecido que tinham sentido da primeira. Sabiam, e com convicção, que as previsões de Floriani eram certas. Emanava dele um halo de exatidão tão rigorosa que não era ouvido como se deduzisse fatos uns dos outros, mas como se contasse ocorrências cuja autenticidade era fácil de verificar na hora em que se quisesse.

Ninguém se surpreendeu quando o conde veio declarar:

— Foi o menino, é certo, tudo o prova.

— Viu as pranchas... o gancho?

— Vi... as pranchas foram despregadas... o gancho ainda está lá.

Sra. de Dreux-Soubise exclamou:

— Ele... Quer dizer que foi a mãe dele. Henriette é a única culpada. Deve ter obrigado o filho.

— Não — afirmou o cavaleiro. — A mãe não se meteu em nada.

— Vamos! Moravam no mesmo quarto e o menino não poderia agir contra a vontade dela.

— Moravam no mesmo quarto, mas tudo ocorreu na cozinha, de noite, enquanto a mãe dormia.

— E o colar? — disse o conde. — Tinha de ser descoberto entre as coisas do menino.

— Perdão, mas ele saía de casa. Na manhã em que o viu em sua mesinha de estudo, voltava da escola; e talvez a justiça, em vez de esgotar seus recursos contra a mãe inocente, estaria mais inspirada investigando a mesa do menino e seus livros escolares.

— Seja, mas esses dois mil francos que Henriette recebia anualmente não são o melhor sinal de sua cumplicidade?

— Se ela fosse cúmplice, teria agradecido a vocês esse dinheiro? E além disso a vigiavam, enquanto o menino estava livre para correr com facilidade à cidade vizinha, entrar em contato com um revendedor qualquer e lhe passar a preço vil um diamante, dois, conforme o caso, sob a única condição de que a remessa do dinheiro fosse feita de Paris, mediante o que se recomeçaria no ano seguinte.

Um mal-estar indefinível oprimia os Dreux-Soubise e seus convidados. Havia realmente no tom e na postura de Floriani algo mais que aquela certeza que desde o início tinha irritado tanto o conde. Havia uma espécie de ironia, e que soava antes hostil que simpática e amistosa, como convinha.

O conde fingiu rir.

— Tudo isso é dum engenho que me arrebata! Cumprimentos! Que imaginação!

— Mas não, não — declarou Floriani mais grave. — Não estou imaginando, evoco circunstâncias que foram inevitavelmente as que mostrei.

— Que sabe a respeito?

— O que o senhor mesmo me disse. Imagino a vida da mãe e do menino lá longe, nos confins da província; a mãe que adoece, as astúcias e invenções para vender as pedras e salvar a mãe, ou pelo menos suavizar seus últimos momentos. O mal a leva. Morre. Passam-se anos. O garoto cresce, torna-se um homem. E — desta vez admito estar dando liberdade à imaginação — suponhamos que este homem experimente a necessidade de voltar aos lugares em que viveu a infância, que os visite, que encontre os que suspeitaram de sua mãe e a acusaram... Calcule o interesse pungente dum encontro semelhante na velha casa em que se desenrolaram as peripécias do drama...

Suas palavras vibraram alguns segundos no silêncio inquietante, e no rosto dos donos da casa se lia um esforço louco para compreender, ao mesmo tempo que o medo e a angústia de compreender. O conde murmurou:

— Quem é o senhor?

— Eu? Sou o cavaleiro Floriani, que conheceu em Palermo e já teve a bondade de convidar várias vezes a visitá-lo.

— Então o que significa essa história?

— Oh! nada! É um mero jogo de minha parte. Procuro imaginar a alegria que o filho de Henriette, se ainda existe, teria em lhe dizer que foi o único culpado, e o foi porque sua mãe era infeliz, na iminência de perder o lugar de... criada do qual vivia, e porque o menino sofria vendo sua mãe infeliz.

Exprimia-se com uma emoção contida, semilevantado e inclinado para a condessa. Não podia subsistir nenhuma dúvida. O Cavaleiro Floriani era o filho de Henriette. Tudo em sua atitude e em suas palavras o proclamava. Aliás, não era evidente sua intenção. sua deliberação mesmo de ser assim reconhecido?

O conde hesitou. Que conduta ia ter em relação à audaciosa personagem? Chamar os criados, provocar um escândalo, desmascarar aquele que tinha outrora despojado? Mas fazia tanto tempo! E quem desejaria admitir essa história absurda do menino culpado? Não, era melhor aceitar a situação, fingindo não ter pegado seu sentido real. E o conde, acercando-se de Floriani, bradou com jovialidade:

— Bem divertido, bem curioso o seu romance. Juro-lhe que me comove. Mas, de acordo com você, que aconteceu com esse bom rapaz, esse modelo de filho? Espero que não tenha parado, se começou tão bem.

— Oh, por certo não.

— Não é? Depois de uma tal estreia! Pegar o colar da rainha aos seis anos, o célebre colar que Maria Antonieta cobiçava!

— E pegá-lo — observou Floriani, prestando-se ao jogo do conde — sem que lhe custasse o menor contratempo, sem que ninguém tivesse a ideia de examinar o estado das vidraças, ou reparar que a borda da janela estava limpa demais, a borda que ele limpou para apagar os traços de sua passagem na poeira espessa... Convenha que isso era de virar a cabeça dum garoto da sua idade. Então é fácil assim, basta querer e estender a mão?... Palavra que ele quis...

— E estendeu a mão.

— As duas mãos — continuou o cavaleiro, rindo. Houve um arrepio. Que segredos escondia a vida desse dito Floriani? Que extraordinária devia ser a existência desse aventureiro, ladrão genial aos seis anos, e que hoje, por um requinte de diletante em busca de emoção, ou ao menos para satisfazer um sentimento de rancor, vinha desafiar sua vítima na casa dela, audaciosa, loucamente, no entanto, com toda a correção de um homem elegante em visita!

Ergueu-se e aproximou-se da condessa para se despedir. Ela reprimiu um movimento de recuo. Ele sorriu.

— Oh, senhora, não fique com medo! Terei levado longe demais minha pequena comédia de mágico de salão?

Ela se dominou e respondeu com a mesma desenvoltura caçoísta:

— De modo algum, senhor. A lenda desse bom filho, ao contrário, me interessou muito, e me felicito por meu colar ter dado oportunidade a um destino tão brilhante. Mas não crê que o filho dessa... mulher, dessa Henriette, obedecesse antes de tudo a uma vocação?

Ele sentiu a estocada e replicou:

— Estou certo disso, e era preciso que essa vocação fosse séria para que o menino não desanimasse.

— Como assim?

— Mas sim, a senhora sabe, a maioria das pedras eram falsas. De verdadeiro só havia alguns diamantes comprados ao joalheiro inglês, os outros tinham sido vendidos um a um, conforme as duras necessidades da vida.

— Sempre era o colar da rainha, senhor — disse a condessa com altivez. — E isso me parece o que o filho de Henriette não podia compreender.

— Deve ter compreendido que, falso ou verdadeiro, o colar era antes de tudo um objeto de ostentação, uma insígnia.

Sr. de Dreux fez um gesto que a mulher captou logo.

— Senhor — disse ela —, se o homem a quem alude tem o menor pudor...

Interrompeu-se, intimidada pelo olhar calmo de Floriani. Ele repetiu:

— Se esse homem tiver o menor pudor?...

Sentiu que nada ganharia falando-lhe daquele modo, e apesar de si mesma, de sua cólera, de sua indignação vibrante de amor-próprio humilhado, disse-lhe quase polidamente:

— Senhor, diz a lenda que Rétaux de Villette, quando teve em mãos o colar da rainha e desengastou todos os diamantes com Jeanne de Valois, não ousou tocar na armação. Entendeu que os diamantes eram apenas um adorno, que a armação era o essencial, a própria criação do artista, e a respeitou. Julga que esse homem igualmente entendeu isso?

— Não duvido que a armação exista. O menino a respeitou.

— Pois bem, se por acaso se encontrar com ele, diga-lhe que conserva injustamente uma dessas relíquias que são o patrimônio e a glória de certas famílias, e que pôde arrancar as pedras sem que o colar da rainha deixasse de pertencer à casa de Dreux-Soubise. Pertence-nos como nosso nome, como nossa dignidade.

O cavaleiro respondeu simplesmente:

— Eu lhe direi, senhora.

Inclinou-se diante dela, cumprimentou o conde e, um após outro, todos os assistentes, e saiu.

* * *

Quatro dias depois, Sra. de Dreux achava na mesa de seu quarto um estojo vermelho com as armas do cardeal. Era o colar da rainha.

Mas como todas as coisas devem, na vida de um homem preocupado com a unidade e a lógica, concorrer ao mesmo fim, e um pouco de propaganda não prejudica nunca, no dia seguinte o *Écho de France* publicava estas linhas que causaram sensação:

O 'colar da rainha', a célebre joia outrora subtraída da família de Dreux-Soubise, foi encontrado por Arsène Lupin, que se apressou em devolvê-lo a seus legítimos proprietários. Não se pode senão aplaudir essa atenção delicada e cavalheiresca.

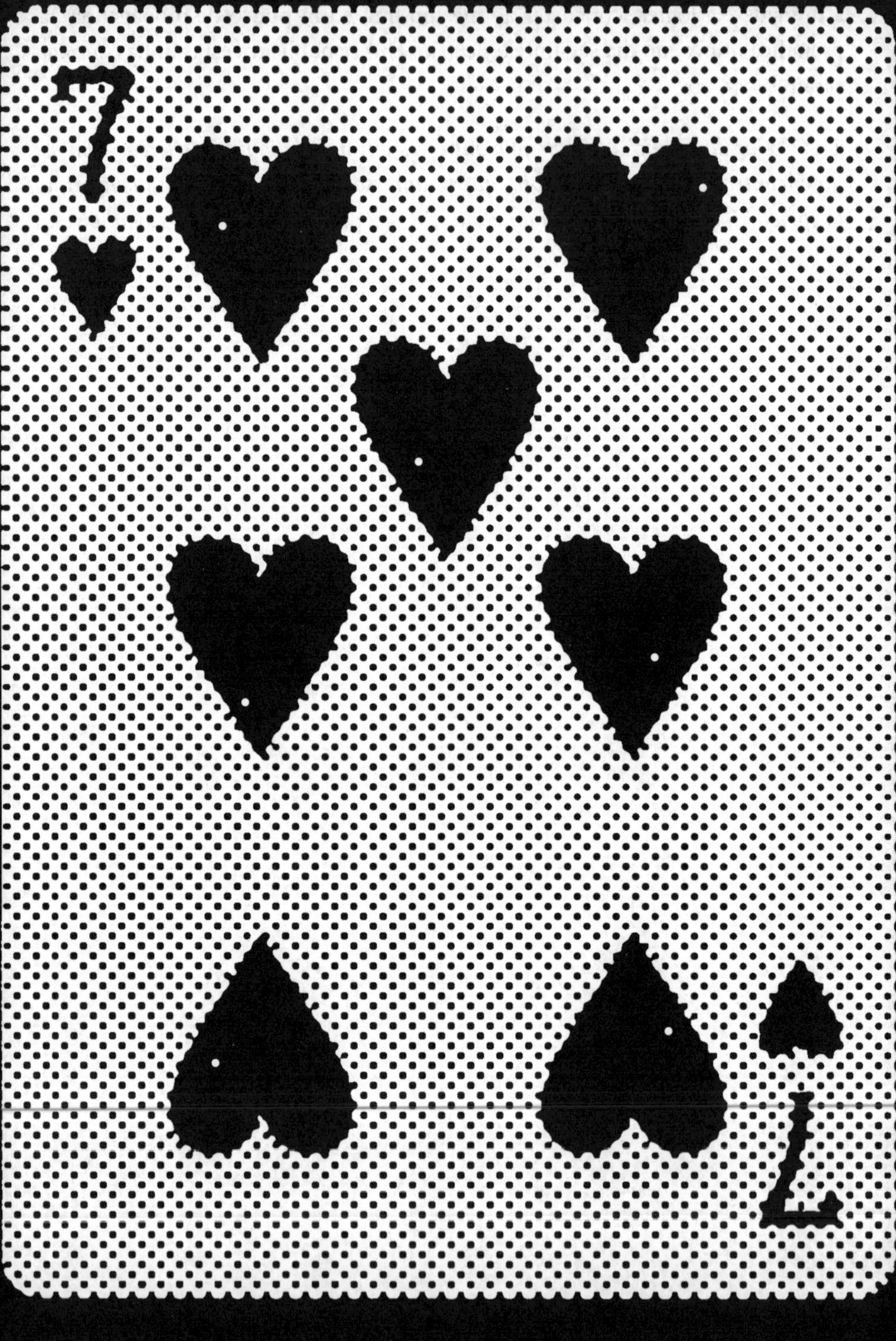
7

O SETE DE COPAS

Surge uma pergunta e me foi feita muitas vezes: como conheci Arsène Lupin? Ninguém duvida que eu o conheço. Os detalhes que acumulo desse homem desconcertante, os fatos irrefutáveis que exponho, novas provas que trago, a interpretação que dou de certos atos dos quais tínhamos visto apenas as manifestações externas sem penetrar nas razões secretas ou no mecanismo invisível, tudo isso prova, senão uma intimidade, que a própria existência de Lupin tornaria isso impossível, pelo menos para relações amigáveis e confidências que se seguiram.

Mas como o conheci? De onde me veio o privilégio de ser o seu narrador? Por que eu e não outro?

A resposta é fácil: só o acaso presidiu uma escolha em que meu mérito não tem importância. Foi o acaso que me pôs em seu rastro. Por acaso me meti numa de suas mais estranhas e misteriosas aventuras, por acaso enfim fui ator num drama de que ele foi o maravilhoso diretor, drama obscuro e complexo, eriçado de tais peripécias que experimento algum constrangimento na hora de contar a história.

O primeiro ato se passa durante aquela famosa noite de 22 para 23 de junho, de que tanto se falou. De minha parte, digamos logo, atribuo a conduta bastante anormal que tive na ocasião ao estado de espírito muito particular em que me achava ao voltar para casa. Tínhamos jantado entre amigos no restaurante da Cascade, e toda a noite, enquanto fumávamos e a orquestra zíngara tocava valsas melancólicas, tínhamos falado apenas de crimes e roubos, intrigas assustadoras e tenebrosas. E essa é sempre uma má introdução ao sono.

Os Saint-Martin foram embora de carro. Jean Daspry — esse cativante e descuidado Daspry que, seis meses depois, se deixaria matar de modo tão trágico na fronteira do Marrocos — e eu voltamos a pé pela noite escura e quente. Ao chegarmos diante da casa em que eu morava há um ano, em Neuilly, no Boulevard Maillot, ele me disse:

— Nunca tem medo?
— Que ideia!
— Puxa, sua casa é tão isolada! Sem vizinhos, com terrenos baldios... Juro, não sou covarde, e no entanto...
— Como você é brincalhão, hein?!
— Oh, digo isso como diria outra coisa. Os Saint-Martin me impressionaram com suas histórias de bandidos.

Tendo-me apertado a mão, se afastou. Peguei minha chave e abri a porta.
— Ah, bom, murmurei, Antoine se esqueceu de acender uma vela.

E súbito me lembrei: Antoine estava ausente, tinha-lhe dado folga.

Imediatamente a sombra e o silêncio me foram desagradáveis. Subi a meu quarto, às apalpadelas, o mais rápido possível, e logo, contrariando o costume, virei a chave e corri o ferrolho. A seguir acendi a luz.

A chama da vela me devolveu o sangue-frio. Tive, porém, o cuidado de tirar o meu revólver da bainha, um revólver grande, de longo alcance, e o coloquei ao lado da cama. Deitei-me, e, como era meu costume para adormecer, peguei, na mesinha de cabeceira, o livro que cada noite me esperava.

Fiquei muito surpreendido. Em vez do corta-papéis com que o tinha marcado na véspera, encontrei um envelope, lacrado com cinco pingos de cera vermelha. Vivamente me fixei nele. Trazia como endereço meu nome por extenso, acompanhado da menção: Urgente.

Uma carta! Uma carta em meu nome! Quem a podia ter posto ali? Um tanto nervoso, rasguei o envelope e li:

A partir do momento em que abrir esta carta, aconteça o que acontecer, ouça o que ouvir, não se mexa, não faça um gesto, não dê um grito. Senão está perdido.

Eu também não sou um covarde, e, tão bem quanto outro qualquer, sei me manter em face do perigo real, ou sorrir dos perigos fantasiosos de que se assusta nossa imaginação. Mas, repito, estava numa situação de espírito anormal, facilmente impressionável, com os nervos à flor da pele. E, aliás, não haveria em tudo isso algo de perturbador e inexplicável que teria sacudido a alma mais intrépida?

Meus dedos apertavam febrilmente a folha de papel e meus olhos reliam sem cessar as frases ameaçadoras. Não faça um gesto... não dê um grito... senão, está perdido...

— Ah, vamos, pensei, é alguma brincadeira, uma farsa imbecil.

Estive a ponto de rir, queria mesmo rir em voz alta. Quem me impedia? Que receio confuso me comprimia a garganta?

— Pelo menos soprarei a vela. E não pude soprá-la. — Nem um gesto ou está perdido, tinham escrito.

Mas para que lutar contra essas autossugestões, não raro mais imperiosas que fatos definidos? Tinha apenas de fechar os olhos. Fechei-os.

No mesmo instante, um leve ruído se ouviu no silêncio, em seguida estalidos. Provinham, pareceu-me, duma espaçosa sala ao lado, em que instalara meu gabinete de trabalho e de que apenas o vestíbulo me separava.

A aproximação dum perigo real me agitou e tive a sensação de que ia me levantar, pegar o revólver, correr à sala. Não me levantei e à minha frente uma das cortinas da janela da esquerda se mexeu.

A dúvida não era possível: tinha se mexido. Mexia-se ainda! E vi — oh, vi isso distintamente — que havia entre a cortina e a janela, nesse espaço tão estreito, uma forma humana cuja espessura impedia a cortina de cair direito.

E o ser também me via, era certo que me via pela malha larga da cortina. Então compreendi tudo. Enquanto os outros levavam o que pilhavam, sua tarefa consistia em me manter quieto. Levantar-me? Pegar o revólver? Impossível... Ele estava ali! Ao menor gesto, ao menor grito, eu estaria perdido.

Uma batida violenta sacudiu a casa, seguida de pequenas batidas agrupadas em duas ou três, como as dum martelo que bate pregos, repetindo-se mais fracas. Ao menos era o que imaginava, na confusão de meu cérebro. Outros ruídos se entrecruzaram, numa verdadeira desordem que mostrava que eles não se preocupavam e agiam com toda a segurança.

E tinham razão, não me mexia. Em vez de covardia, era um aniquilamento, uma total impotência para mover um que fosse de meus membros. Prudência igualmente, pois, enfim, por que lutar? Atrás deste homem havia dez outros que viriam a um chamado seu. Iria arriscar a vida para salvar alguns tapetes e quinquilharias?

E o suplício durou toda a noite. Suplício intolerável, angústia excessiva. O ruído se interrompera, mas eu não deixava de esperar que recomeçasse. O homem! o homem que me vigiava, de arma na mão! Meu olhar assustado não o abandonava. E meu coração batia, e o suor escorria da minha testa e do meu corpo todo!

E de repente um bem-estar inexprimível me invadiu: um carro de leiteiro, de que conhecia bem a andadura, passou pela avenida, e tive ao mesmo tempo a impressão de que a aurora tentava atravessar as persianas fechadas e um pouco de dia lá fora se misturava à sombra.

E o dia entrou no quarto. E outros carros passaram. E todos os fantasmas da noite se desvaneceram.

Estendi um braço para a mesa, lenta, dissimuladamente. À frente nada se mexeu. Marcava com os olhos a ruga da cortina, o lugar preciso a que tinha de apontar, fiz a conta exata dos movimentos que devia executar e, rapidamente, empunhei o revólver e atirei.

Saltei fora da cama com um grito de libertação e corri para a cortina. A fenda estava furada, a vidraça também. Quanto ao homem, não tinha conseguido atingi-lo... pela boa razão de que não havia ninguém.

Ninguém! Assim, toda a noite, tinha estado hipnotizado pela dobra duma cortina! E enquanto isso, malfeitores... Raivosamente, num impulso que nada teria detido, virei a chave na fechadura, abri minha porta, atravessei o vestíbulo, abri a outra porta e entrei na sala.

Mas um estupor me pregou ao chão, ofegante, atordoado, mais surpreendido ainda do que com a ausência do homem: não havia desaparecido nada. Todas as coisas que supunha furtadas, móveis, quadros, velhos veludos e sedas, todas estavam no seu lugar!

Espetáculo incompreensível — não acreditava nos meus olhos. E a barulheira, os ruídos de mudança? Dei a volta na peça, inspecionei as paredes, fiz o inventário de todos os objetos que conhecia tão bem. Não faltava nada. E o que mais me confundia é que também nada revelasse a passagem dos malfeitores, nem um indício, uma cadeira fora do lugar, a marca de um passo.

— Vejamos, dizia a mim mesmo agarrando a cabeça com as duas mãos, — não sou um louco, eu ouvi bem!

Polegada a polegada, com os processos de investigação mais minuciosos, examinei a sala. Foi em vão. Ou antes... mas podia considerar isso como uma descoberta? Sobre um pequeno tapete persa no soalho, apanhei uma carta de baralho. Um sete de copas, semelhante a todos os sete de copas dos baralhos franceses, mas que me reteve a atenção por um detalhe bem curioso: a ponta de cada uma das sete marcas vermelhas em forma de coração estava furada, num buraquinho redondo e regular feito com punção.

Era tudo. Uma carta de baralho e uma carta achada num livro. Fora disso, nada. Seria o suficiente para afirmar que eu não tinha sido o joguete de um sonho?

Durante o resto do dia continuei com minhas buscas no salão. Era uma peça grande, em desproporção com a exiguidade do imóvel, e cuja decoração atestava o estranho gosto de quem a tinha concebido. O soalho era feito dum mosaico de pecinhas multicores formando grandes desenhos simétricos. O mesmo mosaico recobria as paredes, disposto em painéis: alegorias à Pompeia, composições bizantinas, afrescos da Idade Média. Um Baco cavalgava um tonel. Um imperador, com uma coroa dourada e barba branca, segurava uma espada na mão direita.

Bem em cima, como num ateliê de pintor, estava a única e ampla janela. Sempre aberta à noite, era provável que os homens tivessem passado por ali, com a ajuda de uma escada. Também nisso não havia certeza. Os braços da escada teriam deixado marcas na terra batida do pátio, e não havia marca alguma.

A grama do terreno baldio que cercava a casa deveria estar pisada de fresco, e não estava.

Confesso que não tive a ideia de me dirigir à polícia, tanto os fatos que teria de expor eram inconsistentes e absurdos. Iam rir de mim. Mas dois dias depois saía a minha crônica no Gil Blas, onde então escrevia. Obcecado por minha aventura, contei-a por extenso.

O artigo não passou desapercebido, mas vi bem que raros o tomavam a sério, considerando-o antes uma fantasia que uma história real. Os Saint-Martin acharam graça. Daspry, porém, a que não faltava competência nessas matérias, veio me ver, pediu que lhe explicasse a coisa toda e a estudou, mas sem maior sucesso.

Numa das manhãs seguintes, o sininho do portão soou e Antoine veio me avisar que um senhor queria falar comigo. Não desejara dar o nome. Pedi que subisse.

Era um homem de uns quarenta anos, bem moreno, rosto enérgico, e cujas roupas limpas, mas gastas, mostravam uma preocupação de elegância em contraste com suas maneiras antes vulgares.

Sem preâmbulo, me disse, numa voz rouca com entonação que me confirmou a situação social do indivíduo:

— Senhor, em viagem, num café, o Gil Blas me caiu sob os olhos, e li o seu artigo. Interessou-me muito.

— Agradeço-lhe.

— E voltei.

— Ah!

— Sim, para lhe falar. Todos os fatos que contou são verdadeiros?

— Completamente.

— Não há um único que seja invenção sua?

— Nenhum.

— Nesse caso, tenho talvez informações a lhe dar.

— Estou ouvindo.

— Não.

— Como não?

— Antes de falar, preciso verificar se são exatos.

— E para verificar?

— É preciso que eu fique sozinho nesta peça.

Olhei-o com surpresa.

— Não vejo bem...

— Foi uma ideia que tive ao ler o seu artigo. Alguns detalhes coincidem de modo extraordinário com uma outra aventura que conheci por acaso. Se me enganei, é preferível que me cale. E o único modo de saber é eu ficando sozinho...

Que haveria sob tal proposta? Mais tarde me lembrei de que, ao fazê-la, o homem tinha um ar preocupado, uma expressão fisionômica ansiosa. Mas no momento, embora um tanto espantado, nada achei de particularmente anormal no seu pedido. E uma curiosidade daquelas era de estimular um autor. Respondi:

— Certo. De quanto tempo precisa?

— Oh, três minutos, não mais. Em três minutos, irei ter com o senhor.

Saí da peça. Embaixo, puxei o relógio. Passou um minuto. Dois... Por que me sentia oprimido? Por que esses instantes me pareciam mais solenes que outros?

Dois minutos e meio... Dois minutos e três quartos... De repente soou um tiro. Subi a escada rápido e entrei. Um grito de horror me escapou.

No meio da sala o homem jazia, imóvel, deitado sobre o lado esquerdo. Sangue lhe corria da cabeça, em mistura a detritos do cérebro. Perto de sua mão, um revólver ainda fumegava.

Agitou-o uma convulsão, e foi tudo.

Mas, mais ainda que esse horrível espetáculo, algo me chocou, algo que fez com que não chamasse logo por socorro nem me ajoelhasse para ver se o homem ainda respirava. A dois passos dele, no chão, havia um sete de copas!

Apanhei-o. As sete pontas das marcas vermelhas tinham buraquinhos...

Meia hora depois, o comissário de polícia de Neuilly chegava; e veio o médico legista, e o chefe da Sûreté, Sr. Dudouis. Eu não havia tocado no cadáver. Nada deve falsear as primeiras constatações.

Foram breves. Tanto mais breves quanto de início nada se descobriu, ou pouca coisa. Nos bolsos do morto, nenhum documento; em seu terno, nenhum nome; em sua roupa interior, nenhuma inicial. Em suma, nenhum indício capaz de estabelecer sua identidade. E na sala a mesma ordem que antes. Os móveis não tinham sido deslocados e os objetos conservavam sua posição anterior. No entanto, esse homem não tinha vindo à minha casa com o único objetivo de se matar, julgando que meu domicílio convinha mais que outro ao seu suicídio! Sucedia que um motivo o tivesse determinado a esse ato de desespero, e que esse motivo adviesse dum fato novo, averiguado por ele durante os três minutos que passara sozinho.

Que fato? O que tinha visto ou surpreendido? Que espantoso segredo penetrara? Não se podia sequer fazer uma suposição.

No último momento ocorreu um incidente que nos pareceu de considerável interesse. Quando dois agentes se abaixavam para erguer o cadáver e transportá-lo numa maca, perceberam que a mão esquerda, até o momento fechada numa crispação, se descontraiu e deixou cair um cartão de visitas amassado.

Nele se lia: Georges Andermatt, Rue de Berri, 37.

Que significava isso? Georges Andermatt era um notável banqueiro parisiense, fundador e presidente da Financiadora de Metais, que deu verdadeiro impulso às indústrias metalúrgicas da França. Vivia em grande estilo. Possuía carruagem, automóvel e cavalos de corrida. Suas festas eram muito concorridas e Sra. Andermatt era conhecida por sua graça e beleza.

— Seria o nome do morto? — murmurei. O chefe da Sûreté se inclinou:

— Não é ele. Sr. Andermatt é claro e um pouco grisalho.

— Mas por que esse cartão?

— O senhor tem telefone?

— Sim, no vestíbulo. Se quiser me seguir... Procurou no catálogo e pediu o 415-21.

— Sr. Andermatt está em casa? Por favor, diga-lhe que Sr. Dudouis lhe pede para vir o mais rápido possível ao Boulevard Maillot, 102. É urgente.

Vinte minutos depois, Andermatt descia do seu automóvel. Expuseram-lhe as razões que reclamavam uma intervenção sua e em seguida o levaram ante o cadáver.

Teve um instante de emoção, que lhe contraiu o rosto, e pronunciou em voz baixa, como contra a vontade:

— Étienne Varin.

— Conhece?

— Não... sim, mas apenas de vista. Seu irmão...

— Tem um irmão?

— Sim, Alfred Varin. Esse irmão há tempos veio me pedir... já não lembro o quê...

— Onde mora?

— Os dois irmãos viviam juntos... acredito que na Rue de Provence.

— E não tem uma ideia do motivo por que este aqui se matou?

— Nenhuma.

— E esse cartão que ele tinha entre os dedos?... É o seu, com o seu endereço.

— Não entendo isso. Deve ser uma coincidência que a investigação deve apurar.

— Uma coincidência curiosa, pensei, e senti que todos tínhamos a mesma sensação.

Essa foi a impressão que divulgaram nos jornais do dia seguinte e era a de todos os meus amigos com quem conversei sobre o assunto. Entre os enigmas que o complicavam, depois da dupla e tão desconcertante descoberta daquele sete de copas sete vezes furado, depois dos dois acontecimentos igualmente surpreendentes de que minha casa fora teatro, esse cartão de visita parecia enfim prometer um pouco de luz. Por ele se chegaria à verdade.

Mas, contrariando as previsões, Sr. Andermatt não forneceu qualquer indicação.

— Disse o que sabia — repetia — Que querem mais? Sou o primeiro a me surpreender que esse cartão tenha sido achado lá, e como todo mundo espero que esse ponto seja esclarecido.

Não foi. O inquérito apurou que os irmãos Varin, provenientes da Suíça, tinham levado, sob diferentes nomes, uma vida bem movimentada, em más companhias, tendo relações com um bando de estrangeiros que a polícia investigava e que se dispersou depois de uma série de roubos, em que só mais tarde se descobriu sua participação. No número 24 da Rue de Provence, onde os irmãos Varin tinham de fato residido seis anos antes, ignorava-se o rumo que depois tinham tomado.

Confesso que para mim o assunto parecia tão confuso que mal acreditava na possibilidade de uma solução, esforçando-me em não pensar nela. Mas Jean Daspry, que via muito nessa época, se apaixonava pelo caso cada dia mais.

Foi ele que me mostrou esta nota de um jornal estrangeiro que toda a imprensa reproduzia e comentava:

Na presença do imperador e num lugar que será mantido em sigilo até o último minuto, serão feitas as primeiras provas de um submarino que deve revolucionar as condições futuras da guerra naval. Por uma indiscrição, ficamos a par de seu nome: Sete de Copas.

Sete de Copas? Uma coincidência, ou devia-se ligar o nome desse submarino às ocorrências narradas? De que natureza seria essa ligação? O que se passava aqui poderia se relacionar com o que estava acontecendo lá fora?
— Que é que você sabe disso? — dizia-me Daspry. — Os efeitos mais díspares provêm às vezes duma causa única.
Dois dias depois, vimos outra nota:

Apuramos que os planos para o Sete de Copas, o submarino cujo experimentos ocorrerão em breve, foram realizados por engenheiros franceses. Esses engenheiros, tendo buscado em vão apoio de seus compatriotas, teriam então se dirigido, sem mais sucesso, ao Almirantado Inglês. Damos esta notícia sem qualquer reserva.

Não me atrevo a insistir sobre fatos de natureza delicada e que provocaram, como se recorda, uma emoção tão considerável. No entanto, já que todo perigo de complicação está afastado, cumpre que fale do artigo do *Écho de France*, que teve na hora tanta ressonância e lançou sobre o caso do Sete de Copas, como o chamavam, alguns esclarecimentos confusos. Aqui está, como apareceu sob a assinatura de Salvator:

"*O caso do sete de copas: uma ponta do véu se ergueu.*

Seremos breves. Há dez anos, um jovem engenheiro de minas, Louis Lacombe, querendo consagrar seu tempo e dinheiro aos estudos que fazia, demitiu-se do emprego e alugou, no Boulevard Maillot, 102, uma pequena mansão que um conde italiano tinha recentemente construído e decorado. Por meio de dois indivíduos, os irmãos Varin, de Lausanne, assistindo-o em suas experiências, um como preparador e o outro procurava sócios patrocinadores, estabeleceu relações com Sr. Georges Andermatt, que acabava de fundar a Financiadora de Metais.
Depois de vários encontros, conseguiu interessá-lo num projeto de submarino em que trabalhava e ficou combinado que, dando o definitivo remate à invenção, Sr. Andermatt usaria sua influência para obter do Ministério da Marinha uma série de provas.
Por dois anos, Louis Lacombe frequentou assiduamente a mansão Andermatt e submeteu ao banqueiro os aperfeiçoamentos que acrescentava a seu projeto, até o

dia em que, satisfeito com o seu trabalho, tendo encontrado a fórmula definitiva que procurava, solicitou a Sr. Andermatt que agisse.

Nesse dia, Louis Lacombe jantou em casa dos Andermatt. Saiu pelas onze e meia da noite e desde então não foi mais visto.

Relendo os jornais da época, vê-se que a família do jovem apelou à polícia e buscas foram feitas. Mas não se chegou a nenhuma certeza e foi em geral admitido que Louis Lacombe, que passava por um jovem original e caprichoso, tivesse viajado sem avisar ninguém.

Aceitamos essa hipótese... implausível. Mas persiste uma pergunta, capital para o país: que aconteceu com os planos do submarino? Louis Lacombe levou-os junto, destruiu-os?

Com a investigação séria que empreendemos, concluímos que tais planos existem. Os irmãos Varin os tinham consigo. Como? Ainda não pudemos precisar, assim como não sabemos por que não os venderam antes. Receavam que lhes perguntassem como estavam em sua posse? Em todo caso, esse receio não perdurou, e podemos com certeza afirmar que os planos de Louis Lacombe são propriedade duma potência estrangeira, pois estamos em condição de publicar a correspondência trocada a esse propósito entre os irmãos Varin e o representante dessa potência. Atualmente o Sete de Copas criado por Louis Lacombe foi construído por nossos vizinhos.

A realidade responderá às previsões otimistas dos implicados nessa traição? Temos motivos para esperar que não, motivos esses que os fatos, queremos crer, vão confirmar."

E um pós-escrito acrescentava:

"Ultima hora. — Esperávamos com razão. Nossas informações particulares permitem anunciar que as provas do Sete de Copas não foram satisfatórias. É bastante provável que nos planos entregues pelos irmãos Varin faltasse o último documento, levado por Louis Lacombe a Sr. Andermatt na noite do desaparecimento, documento indispensável à compreensão total do projeto, espécie de resumo em que se acham as conclusões definitivas sobre as avaliações e as medidas contidas nos outros papéis. Sem esse documento, os planos são imperfeitos, do mesmo modo que, sem os planos, o documento é inútil.

Portanto, ainda é tempo de agir e retomar o que nos pertence. Para essa difícil tarefa, contamos com o auxílio de Sr. Andermatt. Há de levar a peito a explicação da inexplicável conduta que adotou desde o começo. Dirá não apenas por que não contou o que sabia no momento do suicídio de Étienne Varin, mas também por que nunca revelou o desaparecimento de papéis de que tinha conhecimento.

Dirá por que, há seis anos, faz vigiar por agentes pagos os irmãos Varin.

Aguardemos dele não só palavras, mas atos. Se não..."

A ameaça era brutal. Mas em que consistia? Que meio de intimidação Salvator, o autor... anônimo do artigo, possuía sobre Andermatt?

Uma nuvem de jornalistas assediaram o banqueiro e dez entrevistas exprimiram o desprezo com que respondeu àquele equacionamento dos fatos. O colaborador do *Écho de France*, diante disso, retrucou com estas duas linhas:

Queira ou não Sr. Andermatt, você é, desde já, nosso colaborador no trabalho que realizamos.

* * *

No dia em que saiu essa réplica, Daspry e eu jantamos juntos. À noite, com os jornais abertos em cima da mesa, discutimos o caso e o examinamos sob todos os ângulos com a irritação que se sente de andar indefinidamente nas sombras, topando com os mesmos obstáculos.

Súbito, sem que meu criado me avisasse ou se ouvisse a campainha, a porta se abriu, e uma dama entrou, envolta num véu espesso.

Levantei imediatamente e avancei. Ela me disse:

— É o senhor que mora aqui?

— Sim, mas confesso-lhe...

— O portão para a avenida não estava fechado — explicou.

— E a porta da entrada?

Não respondeu, e pensei que devia ter dado a volta pela escada de serviço. Conhecia então o caminho?

Houve um silêncio um pouco contrafeito. Olhou Daspry. A contragosto, apresentei-o, como teria feito num salão. Pedi que se sentasse e dissesse o motivo de sua visita.

Tirou o véu e vi que era morena, de rosto regular, e, se não muito bonita, ao menos de um grande charme, que provinha sobretudo dos olhos, graves e dolorosos. Falou com simplicidade:

— Sou a Sra. Andermatt.

— Sra. Andermatt! — repeti, cada vez mais surpreso.

Novo silêncio e ela prosseguiu com voz calma e um ar mais tranquilo:

— Vim a propósito desse caso... que conhecem. Pensei que poderia talvez obter dos senhores algumas informações...

— Meu Deus, só sei o que os jornais contam. Por favor, explique como posso ajudá-la.

— Não sei... Não sei...

Apenas aí tive a intuição de que sua calma era fictícia e que, sob a perfeita segurança, escondia-se uma grande perturbação. Calamo-nos, ambos igualmente embaraçados.

Mas Daspry, que não tinha cessado de observá-la, acercou-se e lhe disse:

— Permite, senhora, que lhe faça umas perguntas?

— Ah, sim — exclamou —, desse modo eu responderei.
— Responderá... sejam quais forem as perguntas?
— Sejam quais forem. Ele pensou e disse:
— Conhecia Louis Lacombe?
— Sim, através de meu marido.
— Quando o viu pela última vez?
— Na noite em que jantou conosco.
— Nada então a fez pensar que não o veria mais?
— Nada. Aludiu a uma viagem à Rússia, mas tão vagamente!
— De modo que esperava revê-lo?
— Dois dias depois, para jantar.
— E como explica esse desaparecimento?
— Não explico.
— E Sr. Andermatt?
— Não sei.
— No entanto...
— Não me pergunte sobre esse ponto.
— O artigo do *Écho de France* parece dizer...
— O que parece dizer é que os irmãos Varin não são alheios a esse desaparecimento.
— É a sua opinião?
— Sim.
— Em que se apoia sua convicção?
— Ao nos deixar, Louis Lacombe levava uma pasta com todos os papéis relativos ao seu projeto. Dois dias depois, houve entre meu marido e um dos irmãos Varin, o que está vivo, um encontro em que meu marido teve a prova de que esses papéis estavam com os dois irmãos. — E não os denunciou?
— Não.
— Por quê?
— Porque, na pasta, havia outra coisa além dos papéis de Louis Lacombe.
— O quê?
Ela hesitou, à beira de responder; por fim, guardou silêncio. Daspry continuou:
— Essa é a causa por que seu marido, sem avisar a polícia, fazia vigiar os dois irmãos. Esperava retomar ao mesmo tempo os papéis e essa coisa... comprometedora, graças à qual os dois irmãos exerciam sobre ele uma espécie de chantagem.
— Sobre ele... e sobre mim.
— Ah! Sobre a senhora também?
— Sobre mim principalmente.
Articulou essas três palavras em tom opaco. Daspry a observou, deu uns passos, voltou a ela:
— Escreveu a Louis Lacombe?
— Sem dúvida, dava-se com meu marido...

— Fora das cartas comuns, não escreveu a Lacombe outras? Desculpe a insistência, mas é indispensável que eu saiba toda a verdade. Escreveu outras cartas?

Corada, ela sussurrou

— Sim.

— E eram essas cartas que os irmãos Varin tinham?

— Sim.

— Sr. Andermatt sabe?

— Não as viu, mas Alfred Varin o pôs a par de sua existência, ameaçando publicá-las se meu marido agisse contra eles. Meu marido teve medo, recuou diante do escândalo.

— Apenas fez o possível para lhes arrancar as cartas.

— O possível... Ao menos é o que suponho, pois, desde esse encontro com Alfred Varin e algumas palavras violentas em que o comunicou a mim, não houve mais entre nós nenhuma intimidade, nenhuma confiança. Vivemos como dois estranhos.

— Nesse caso, se nada tem a perder, o que receia?

— Apesar da indiferença com que passou a me tratar, sou a que amou, a que poderia ainda amar... Oh, estou certa disso! Ele me amaria de novo — murmurou com ardor — se não tivesse se apoderado dessas malditas cartas...

— Como! Como o teria conseguido, se os dois irmãos continuavam a desafiá-lo?

— E até se gabavam, parece, de ter um esconderijo seguro.

— Então?...

— Tenho razões para crer que meu marido descobriu esse esconderijo.

— Vamos... onde?

— Aqui.

— Aqui?

— Sim, e sempre desconfiei. Louis Lacombe, engenhoso, apaixonado por mecânica, divertia-se nas horas vagas em confeccionar cofres e fechaduras. Os irmãos Varin devem ter descoberto e em seguida utilizado um desses esconderijos para guardar as cartas... e outras coisas também, sem dúvida.

— Mas não moravam aqui — bradei.

— Até sua chegada, há quatro meses, a casa permanecia desocupada. É, pois, provável que voltassem aqui; além disso, devem ter pensado que a sua presença não os perturbaria no dia em que necessitassem retirar seus papéis. Não contavam com meu marido, que, na noite de 22 para 23 de junho, forçou o cofre, pegou... o que procurava e deixou seu cartão para mostrar aos dois irmãos que não tinha mais o que temer deles e que os papéis tinham se invertido. Dois dias após, advertido pelo artigo do *Gil Blas*, Étienne Varin veio aqui às pressas, ficou só neste salão, achou o cofre vazio e se matou.

Um instante e Daspry perguntou:

— É mera suposição, não é? Sr. Andermatt lhe disse alguma coisa?

— Não.

— Sua atitude a seu respeito não se modificou? Não lhe pareceu mais sombrio, preocupado?

— Não.

— E julga que seria assim, se tivesse achado as cartas?! A meu ver, não as achou. Penso que não foi ele que entrou aqui.

— Quem, então?

— A personagem secreta que conduz esse caso, que lhe manobra os cordões e o dirige a um objetivo que mal entrevemos através de tantas complicações, a personagem de que se sente a ação visível e todo poderosa desde o primeiro momento. Ele e seus amigos é que entraram nesta mansão em 22 de junho, foi ele que descobriu o esconderijo, foi ele que deixou o cartão de Sr. Andermatt, é ele que detém a correspondência e as provas da traição dos irmãos Varin.

— Ele quem? — interrompi, não sem impaciência.

— O colaborador do *Écho de France*, diabo, esse Salvator! Não é de cegante evidência? Não dá em seu artigo pormenores que só poderia dar quem estivesse a par dos segredos dos dois irmãos?

— Nesse caso — balbuciou Sra. Andermatt, com medo — ele está também com as minhas cartas, e é ele que ameaça por sua vez meu marido! Que fazer, meu Deus?!

— Escrever-lhe — declarou Daspry com firmeza. — Contar-lhe tudo o que sabe e tudo o que puder lhe informar.

— Que está dizendo?!

— Seu interesse é o mesmo que o dele. Está fora de dúvida que age contra o irmão que ainda vive. Não é contra Sr. Andermatt que busca armas, mas contra Alfred Varin. Ajude-o.

— Como?

— Seu marido tem esse documento que completa e permite utilizar os planos de Louis Lacombe?

— Sim.

— Avise Salvator. Se preciso, trate de achar esse documento. Em suma, corresponda-se com ele. Que é que arrisca?

O conselho era ousado, perigoso mesmo à primeira vista; mas Sra. Andermatt praticamente não tinha escolha. Além disso, como notara Daspry, o que arriscaria? Se o desconhecido fosse um inimigo, esse passo não agravaria a situação. Se fosse um estranho que perseguisse uma meta privada, não emprestaria a essas cartas senão uma importância secundária.

Fosse quem fosse, havia aí uma ideia, e Sra. Andermatt, em sua confusão, sentiu-se feliz em agarrar-se a ela. Agradeceu-nos muito e prometeu manter-nos informados.

Dois dias após, com efeito, mandou-nos este bilhete que recebera em resposta:

"As cartas não estavam lá. Mas eu as terei, esteja tranquila. Penso em tudo. S."

Peguei o papel. Era a letra do bilhete que tinham posto no meu livro de cabeceira na noite de 22 de junho.

Daspry tinha portanto razão: Salvator era o grande organizador desse caso.

Em verdade, começamos a discernir certos fulgores entre as trevas que nos cercavam e alguns pontos se aclaravam sob uma luz inesperada. Mas quantos outros permaneciam obscuros, como a descoberta dos dois setes de copas! De minha parte, voltava sempre a esse fato, mais intrigado talvez do que era justo por essas cartas, cujos sete sinais vazados tinham chocado meus olhos em circunstâncias tão perturbadoras. Que papel desempenhavam no drama? Que importância se devia atribuir a eles? Que conclusão tirar do fato de que o submarino construído sobre os planos de Louis Lacombe tinha o nome de Sete de Copas?

Daspry se ocupava menos com as duas cartas, entregue inteiramente a outro problema, cuja solução lhe parecia mais urgente: procurava sem cansar o famoso esconderijo.

— Quem sabe — dizia — se não vou encontrar as cartas que Salvator não achou, mesmo sem querer? É pouco provável que os irmãos Varin tenham tirado dum lugar que supunham inacessível a arma de que sabiam o inestimável valor.

E procurava. Não tendo já a grande sala segredos para ele, estendeu a pesquisa a todas as outras peças da casa. Examinava, por dentro e por fora, as pedras e os tijolos das paredes, as ardósias do teto.

Um dia, chegou com uma enxada e uma pá; deu-me a pá, ficou com a enxada e, indicando o terreno baldio:

— Vamos.

Segui-o sem entusiasmo. Dividiu o terreno em várias seções que inspecionou sucessivamente. Mas, num canto, no ângulo formado pelos muros de dois proprietários vizinhos, um ajuntamento de cascalhos e seixos, cobertos de espinhos e vegetação rasteira, chamou-lhe a atenção. Atacou-o.

Tive de ajudá-lo. Por uma hora, em pleno sol, penamos inutilmente. Mas, afastadas as pedras, quando chegamos à terra cavamos fundo, logo a enxada de Daspry pôs uns ossos à vista, um resto de esqueleto, em volta do qual se desfiavam ainda trapos de roupa.

Súbito me senti empalidecer. Percebi cravada na terra uma plaquinha de ferro, cortada em forma de retângulo e em que me pareceu distinguir manchas vermelhas. Abaixei-me. Era bem isso: a placa tinha as dimensões duma carta de baralho, e as manchas vermelhas, dum zarcão semi-roído, eram em número de sete e furadas em cada uma das sete extremidades.

— Olhe, Daspry, já não aguento todas essas histórias. Melhor para você, se lhe interessam. Mas eu desisto.

Era a emoção? A fadiga dum trabalho feito sob um sol forte demais? O certo é que saí cambaleando e tive de ir para a cama, onde fiquei quarenta e oito horas, ardendo em febre, obcecado por esqueletos que dançavam em volta de mim e atiravam à cabeça uns dos outros corações sanguinolentos.

Daspry me foi fiel. Concedeu-me por dia três ou quatro horas, que passou, é verdade, no salão, a remexer, bater, dar pancadinhas.

— As cartas estão aí, nessa peça — vinha às vezes me dizer —, estão aí. Ponho a mão no fogo.

— Deixe-me em paz — respondia horrorizado. No terceiro dia de manhã, levantei-me, bem fraco ainda, mas curado. Um almoço substancial me reconfortou. E carta expressa, que recebi por volta de cinco horas, contribuiu mais que nada para o meu completo restabelecimento, tanto minha curiosidade foi, de novo e a despeito de mim mesmo, estimulada. A carta continha estas palavras:

Senhor,
O drama, cujo primeiro ato se passou na noite de 22 para 23 de junho, chega a seu desenlace. A própria força das coisas exige que ponha em presença uma da outra as duas principais personagens desse drama e que essa confrontação tenha lugar em sua casa, e eu lhe serei infinitamente grato se me emprestar seu domicílio para a noite de hoje. Seria bom que, das nove às onze horas, seu criado fosse afastado, e preferível que o senhor mesmo tivesse a bondade de deixar o campo livre aos dois adversários. Na noite de 22 para 23 de junho, pôde se dar conta do meu escrúpulo em respeitar tudo o que lhe pertence. De minha parte, julgaria injuriá-lo se duvidasse um instante de sua perfeita discrição em relação a quem se assina seu dedicado Salvator.

Havia na carta um tom de ironia cortês e, no pedido que fazia, uma imaginação tão vivaz que me deleitou. Era duma cativante desenvoltura, e meu correspondente parecia tão certo da minha aquiescência! Por nada do mundo desejaria decepcioná-lo ou responder à sua confiança com ingratidão.

Às oito horas, meu criado, a quem dera uma entrada de teatro, saiu, e Daspry chegou. Mostrei-lhe a carta.

— E agora? — disse.

— Agora deixo aberto o portão do jardim para que possam entrar.

— E vai sair?

— Nunca na vida!

— Mas se lhe pediram...

— Pediram-me discrição. Serei discreto. Mas faço uma furiosa questão de ver o que vai se passar.

Daspry se pôs a rir.

— Palavra que tem razão, e fico também. Tenho ideias de que não nos enfadaremos.

A campainha o interrompeu.

— Eles, já? — murmurou. — Vinte minutos adiantados! Impossível.

Do vestíbulo, puxei a cordinha que abria o portão. Um vulto de mulher atravessou o jardim: Sra. Andermatt.
Parecia transtornada e foi ofegante que balbuciou:
— Meu marido... vem aí... tem um encontro... devem lhe dar as cartas...
— Como sabe? — disse-lhe.
— Um acaso, por um recado que recebeu durante o jantar.
— Uma carta expressa?
— O criado me entregou por engano. Meu marido pegou o recado imediatamente, mas era tarde, eu o tinha lido. — Li...
— Isto mais ou menos: Às nove, esta noite, esteja no Boulevard Maillot com os documentos relativos ao caso. Em troca, as cartas. Depois do jantar, subi a meu quarto e saí.
— Sem que Sr. Andermatt soubesse?
— Sim. Daspry me olhou.
— Que acha?
— O mesmo que você: que Sr. Andermatt é um dos adversários convocados.
— Por quem e com que fim?
— É precisamente o que iremos saber. Levei-os ao salão.
Podíamos justamente ficar os três sob o manto da lareira e nos esconder atrás da tapeçaria de veludo. Aí nos instalamos, e Sra. Andermatt se sentou entre nós dois. Pelas fendas da cortina dominávamos a peça inteira.
Bateram às nove horas. Minutos mais tarde o portão do jardim rangeu nos gonzos.
Não deixava de sentir certa angústia e uma febre nova me excitava. Estava à beira de conhecer a chave do enigma! A aventura desconcertante, cujas peripécias se sucediam diante de mim há semanas, ia enfim tomar seu verdadeiro sentido, e sob meus olhos se daria a batalha.
Daspry pegou na mão de Sra. Andermatt e murmurou:
— Acima de tudo, nenhum movimento! Seja o que for que ouvir ou vir, permaneça impassível.
Alguém entrou. E reconheci logo, pela grande parecença com Étienne Varin, seu irmão Alfred. O mesmo andar pesado, o mesmo rosto ocre invadido pela barba.
Tinha o ar preocupado de um homem que costuma temer emboscadas à sua volta, que as fareja e evita. De um golpe de vista percorreu a peça, e tive a impressão de que a lareira tapada por veludo lhe desagradara. Deu três passos em direção a nós, mas uma ideia, mais imperiosa sem dúvida, o desviou. Foi à parede, parou diante do velho rei em mosaico, de barba branca e espada chamejante, e o examinou longamente, subindo numa cadeira, seguindo com o dedo o contorno dos ombros e do rosto, apalpando alguns lugares da imagem.
Bruscamente saltou da cadeira e se afastou da parede — ressoaram passos. No umbral surgiu Sr. Andermatt.
O banqueiro deu um grito de surpresa:

— Você! Você! Foi você que me chamou?

— Eu? Absolutamente — protestou Varin com uma voz rouca que lembrava a do irmão. — A sua carta é que me fez vir.

— Minha carta!

— Uma carta com sua assinatura, em que me oferecia...

— Não lhe escrevi.

— Não me escreveu!

Instintivamente Varin se pôs em guarda, não contra o banqueiro, mas contra o inimigo desconhecido que o atraíra àquela armadilha. Uma segunda vez, seus olhos viraram para o nosso lado e, rápido, dirigiu-se à porta.

Andermatt lhe barrou a passagem.

— Que vai fazer, Varin?

— Atrás disso há planos que não me agradam. Vou embora. Boa noite.

— Um instante!

— Vamos, Sr. Andermatt, não insista, não temos nada a nos dizer.

— Temos muito a nos dizer, e a ocasião é excelente...

— Deixe-me passar.

— Não, não, não passará.

Varin recuou, intimidado pela atitude resoluta do banqueiro, e remoeu:

— Então, ligeiro, falemos, e que isto acabe! Algo me surpreendia, e não duvidava de que meus companheiros tivessem a mesma decepção. Como era possível que Salvator não estivesse presente? Em seus projetos pretenderia não intervir, considerando que a mera confrontação do banqueiro e de Varin bastasse? Eu estava perturbado. Em sua ausência, este duelo, combinado por ele, querido por ele, ganhava o aspecto trágico dos acontecimentos que a ordem rigorosa do destino suscita e comanda, e a força que impelia os dois homens um contra o outro causava ainda maior impressão por residir fora deles. Num instante Andermatt se aproximou de Varin e, bem à sua frente, olhando-o nos olhos, falou: — Agora que anos transcorreram e não tem mais nada a temer, responda-me francamente, Varin. O que fez de Louis Lacombe?

— Que pergunta! Como se eu pudesse saber o que aconteceu a ele!

— Você sabe! Seu irmão e você eram ligadíssimos a ele, viviam quase em sua casa, nesta mesma em que estamos. Acompanhavam todos os seus trabalhos, todos os seus projetos. E na última noite, Varin, quando levei Louis Lacombe até a porta, vi dois vultos ocultando-se na sombra. Isso estou pronto a jurar.

— Jure, e daí?

— Era o seu irmão e você, Varin.

— Prove.

— A melhor prova é que dois dias depois você mesmo me mostrou os papéis e os planos que tinham tirado da pasta de Lacombe e queriam que eu comprasse. Como esses papéis estariam com vocês?

— Mas eu lhe disse, Sr. Andermatt: nós os encontramos na mesa de Lacombe na manhã do dia seguinte ao seu desaparecimento.
— Não é verdade.
— Prove.
— A justiça teria podido provar.
— Por que não se dirigiu a ela?
— Por quê? Ah, por quê!...

Calou-se, com ar sombrio. O outro continuou:
— O senhor vê, se tivesse a menor certeza, não seria a pequena ameaça que lhe fizemos que impediria...
— Que ameaça? As cartas? Será que pensou que acreditei nelas em algum instante?...
— Se não acreditou, por que me ofereceu milhares de francos para reavê-las? E por que, depois, nos perseguiu como animais, a meu irmão e a mim? — Para retomar os planos que desejava.
— Vamos! Era pelas cartas. Uma vez na posse delas, o senhor nos denunciaria. Assim que me desfizesse delas!

Deu uma risada que interrompeu secamente.
— Mas chega. Podemos repetir indefinidamente as mesmas palavras sem avançar nada. Portanto, fiquemos por aqui.
— Não ficaremos — disse o banqueiro. — E já que falou das cartas, não sairá daqui antes de entregá-las.
— Sairei.
— Não, não.
— Sr. Andermatt, ouça, eu lhe aconselho...
— Não sairá.
— É o que veremos — disse Varin num tal ímpeto de raiva que Sra. Andermatt abafou um débil grito.

Deve ter ouvido, pois quis passar à força. Andermatt o empurrou com violência. Então vi que Varin metia a mão no bolso do casaco.
— Pela última vez!
— Primeiro as cartas.

Varin puxou o revólver e apontou-o ao outro:
— Sim ou não?

O banqueiro se abaixou depressa.
Um tiro detonou. A arma caiu.

Fiquei estupefato. Do meu lado saíra o tiro! Daspry, com a bala de uma pistola, tinha feito saltar a arma de Alfred Varin!

E, de pé subitamente entre os dois adversários, virado para Varin, ria:
— Tem sorte, meu amigo, muita sorte. Era a mão que eu visava e foi o revólver que atingi.

Os dois o contemplavam, imóveis e confundidos. Ele disse ao banqueiro:

— Desculpe por me meter no que não me diz respeito. Mas realmente faz o seu jogo com muita inabilidade. Deixe-me pegar as cartas. Virando-se para o outro: — É entre nós dois, camarada. E sem subterfúgios, peço-lhe. O trunfo é copas e jogo o sete.

E, a dez centímetros do nariz, exibiu-lhe a placa de ferro com os sete pontos vermelhos marcados.

Nunca tinha visto um transtorno semelhante. Lívido, com os olhos arregalados, os traços torcidos de angústia, o homem parecia hipnotizado pela imagem que a ele se oferecia.

— Quem é você? — balbuciou.

— Já disse, um senhor que se mete no que não lhe concerne... mas se mete a fundo.

— Que deseja?

— Tudo o que trouxe.

— Não trouxe nada.

— Trouxe, sem o que não teria vindo. Recebeu esta manhã um bilhete chamando-o aqui às nove horas e ordenando-lhe que trouxesse todos os papéis que tinha. Ora, está aqui. Onde estão os papéis?

Havia na voz e na atitude de Daspry uma autoridade que me surpreendia, uma maneira de agir inteiramente nova neste homem antes descuidado e doce no convívio, comum. Domado, Varin apontou um de seus bolsos.

— Os papéis estão aqui.

— Todos?

— Sim.

— Todos os que achou na pasta de Louis Lacombe e vendeu ao Major von Lieben?

— Sim.

— A cópia ou o original?

— O original.

— Quanto quer?

— Cem mil.

Daspry deu uma gargalhada.

— Está louco. O major não lhe deu mais que vinte mil. Vinte mil jogados fora, já que as provas não tiveram êxito.

— Não souberam servir-se dos planos.

— Estão incompletos.

— Então por que os pede?

— Preciso deles. Ofereço-lhe cinco mil francos. Nem um níquel a mais.

— Dez mil. Nem um níquel a menos.

— De acordo.

Daspry voltou a Andermatt.

— Queira assinar um cheque, senhor.

— Mas... é que eu não tenho...
— Seu talão? Ei-lo.
Pasmado, Andermatt apalpou o talão que lhe estendia Daspry.
— É o meu mesmo... Como é possível?
— Nada de palavras inúteis, peço-lhe, caro senhor, tem apenas que assinar.
O banqueiro tirou a caneta e assinou. Varin estendeu a mão.
— Abaixe a patinha — disse Daspry —, que ainda não terminei.
E, dirigindo-se ao banqueiro:
— Falavam também dumas cartas que o senhor exigia?
— Sim, um maço de cartas.
— Onde estão, Varin?
— Não as tenho.
— Onde estão, Varin?
— Ignoro. Meu irmão é que se encarregou disso.
— Estão escondidas aqui, nesta casa.
— Nesse caso, sabe onde estão. — Como saberia?
— Ora, não foi você que mexeu no esconderijo? Parece tão bem informado... quanto Salvator.
— As cartas não estão no esconderijo.
— Estão.
— Abra-o.

Varin teve um olhar de desconfiança. Daspry e Salvator eram a mesma pessoa, como tudo fazia crer? Se era assim, nada arriscava mostrando um esconderijo já conhecido. Senão, era inútil... — Abra — repetiu Daspry.

— Não tenho um sete de copas.
— Tem, este — disse Daspry estendendo-lhe a placa de ferro.
Varin recuou aterrado:
— Não... não... não quero...
— Pouco interessa.

Daspry foi ao velho monarca de barba branca, subiu numa cadeira e aplicou o sete de copas no início da espada, contra o punho, e de modo que as bordas da placa recobrissem exatamente as duas bordas da espada. Depois, com ajuda de uma punção, bateu em cada um dos sete buracos na extremidade dos sete de copas e fez pressão sobre sete das pequenas pedras de mosaico. Calcada a sétima, produziu-se um deslocamento e todo o busto do rei girou, desvelando uma ampla abertura em forma de cofre, com revestimentos de ferro e duas prateleiras de aço luzidio.

— Está vendo, Varin? O cofre está vazio.
— De fato... Meu irmão com certeza retirou as cartas.
Daspry aproximou-se do homem e lhe disse:
— Não queira ser mais sabido que eu. Há outro esconderijo. Onde?
— Não há.

— É dinheiro o que quer? Quanto?
— Dez mil.
— Sr. Andermatt, essas cartas valem para o senhor dez mil francos?
— Sim — disse o banqueiro com voz firme.

Varin fechou o cofre, pegou o sete de copas, não sem uma visível repugnância, aplicou-o na espada, bem no mesmo lugar. Pressionou com a punção nas pontas das sete figuras de copas e houve um segundo deslocamento, mas desta vez, coisa inesperada, apenas uma parte do cofre girou, exibindo um cofrezinho feito na espessura da porta que fechava o maior. O maço de cartas estava ali, atado por um barbante e lacrado. Varin o deu a Daspry. Este perguntou: — Está pronto o cheque, Sr. Andermatt?

— Sim.

— E está também com o último documento que recebeu de Louis Lacombe e que completa os planos do submarino?

— Sim.

Fez-se a troca. Daspry embolsou o documento e o cheque e ofereceu o maço a Andermatt.

— Eis o que o senhor desejava.

O banqueiro hesitou um momento, como se receasse tocar naquelas folhas malditas que buscara com tanta ansiedade. Logo, num gesto nervoso, pegou-as.

A meu lado, ouvi um gemido. Segurei a mão de Sra. Andermatt: estava gelada.

Daspry disse ao banqueiro:

— Creio que nossa conversa terminou. Oh! nada de agradecimentos, peço-lhe. Só a sorte permitiu que lhe pudesse ser útil.

Andermatt retirou-se. Levava as cartas de sua mulher a Louis Lacombe.

— Que maravilha — disse Daspry com um ar encantado —, tudo se resolve pelo melhor! Só nos falta encerrar nosso negócio, camarada. Tem os papéis?

— Estão todos aqui.

Daspry folheou-os, examinando com atenção, e os pôs no bolso. — Perfeito, você manteve a palavra.

— Mas...

— Mas o quê?

— Os dois cheques?... o dinheiro?...

— Bem, você tem peito, criatura. Ousa reclamar!

— Reclamo o que me é devido.

— Então devem-lhe alguma coisa por papéis que roubou?

O homem parecia fora de si. Tremia de cólera, com os olhos injetados de sangue.

— O dinheiro... os vinte mil... — gaguejava.

— Impossível... tenho em que empregá-los.

— O dinheiro!...

— Vamos, seja razoável e deixe o seu punhal quietinho.

Agarrou-lhe o braço tão brutalmente que o outro uivou de dor, e acrescentou:

— Vá embora, camarada, o ar livre lhe fará bem. Quer que o acompanhe? Iremos pelo terreno baldio e lhe mostrarei um monte de cascalho sob o qual...

— Não é verdade! Não é verdade!

— Mas sim, é certo. Esta plaquinha de ferro com sete pontos vermelhos veio de lá. Louis Lacombe não a largava nunca, lembra? Seu irmão e você a enterraram com o cadáver... e com outras coisas que interessariam demais à justiça.

Varin tapou o rosto com as mãos raivosas. Em seguida pronunciou:

— Está bem. Fui passado para trás. Não falemos mais nisso. Uma palavra ainda, uma apenas, queria saber...

— Estou ouvindo.

— Havia no cofre, no maior dos dois, uma caixinha?

— Sim.

— Quando veio na noite de 22 para 23 de junho, ela estava ali?

— Estava.

— E continha...?

— Tudo o que os irmãos Varin tinham posto nela: uma bela coleção de joias, diamantes e pérolas, recolhidos em toda parte pelos mencionados irmãos.

— E ficou com ela?

— Claro! Ponha-se no meu lugar!

— Então... foi ao dar com o desaparecimento da caixinha que meu irmão se matou?

— Provavelmente. O sumiço da correspondência de vocês com o Major von Lieben não teria sido suficiente. Mas a da caixinha... É tudo o que tinha a me perguntar?

— Isto ainda: o seu nome?

— Diz isso como se tivesse ideias de vingança.

— Ora! A sorte muda. Hoje é o mais forte. Amanhã...

— Será você...

— Conto com isso. Seu nome?

— Arsène Lupin.

— Arsène Lupin!

O homem cambaleou, desancado por uma desgraça imprevista. Dir-se-ia que essas duas palavras lhe haviam tirado toda esperança. Daspry riu.

— Ah, imaginava que um Sr. Durant ou Dupont teria podido montar toda esta bela situação? Vamos, era preciso ao menos um Arsène Lupin. E agora que está informado, menino, vá preparar sua vingança. Arsène Lupin o espera.

E o empurrou para fora, sem mais palavras.

— Daspry, Daspry! — gritei, dando-lhe ainda, involuntariamente, o nome com que o conhecera. Afastei a cortina de veludo. Acorreu.

— Quê? O que houve?

— Sra. Andermatt está mal.

Apressou-se, fê-la respirar sais e, cuidando dela, perguntou-me:

— Bem, o que é que houve?

— As cartas — eu disse —, as cartas de Louis Lacombe que deu ao seu marido! Bateu na testa.

— Ela pensou que eu tivesse feito isso... Sim, afinal, podia pensar. Imbecil que fui!

Reanimada, Sra. Andermatt o ouviu avidamente. Tirou de sua carteira um pequeno maço em tudo semelhante ao que levara Sr. Andermatt.

— Estão aqui as suas cartas, as verdadeiras.

— Mas... as outras?

— As outras são estas mesmas, mas recopiadas por mim esta noite e cuidadosamente revisadas. Seu marido ficará tanto mais contente em lê-las quanto não desconfiará da substituição, já que tudo pareceu se passar sob seus olhos.

— A letra...

— Não há letra que não se possa imitar.

Ela lhe agradeceu, com palavras de reconhecimento que teria dirigido a um homem de seu mundo, e vi bem que não ouvira as últimas frases trocadas entre Varin e Arsène Lupin.

Eu o olhava não sem embaraço, não sabendo o que dizer ao amigo que se revelara a uma luz tão inesperada. Lupin! Era Lupin! Meu companheiro de roda não era outro senão Lupin! Não voltava a mim. Mas ele, muito à vontade: — Pode se despedir de Jean Daspry.

— Ah!

— Sim, Jean Daspry vai viajar. Vou mandá-lo ao Marrocos, onde é muito possível que ache um fim digno dele. Confesso mesmo que é a sua intenção.

— Mas Arsène Lupin ficará conosco?

— Oh! Mais do que nunca. Arsène Lupin está ainda no início de sua carreira e confia no futuro.

Um movimento de irresistível curiosidade me lançou a ele e o levei a alguma distância de Sra. Andermatt: — Acabou então descobrindo o segundo escaninho, em que se achava o maço de cartas?

— Como me deu trabalho! Só consegui ontem à tarde, quando você estava de cama. No entanto, sabe Deus como era fácil! Mas as coisas mais simples são aquelas em que pensamos por último.

E, mostrando-me o sete de copas:

— Tinha descoberto que, para abrir o cofre grande, devia apoiar esta carta contra a espada do homenzinho de mosaico...

— Como descobriu?

— Fácil. Por minhas informações privadas, sabia, ao vir aqui na noite do dia 22.

— Depois de me ter deixado...

— Sim, e depois de o pôr com conversas escolhidas, num estado de espírito tal, que um tipo nervoso ou impressionável como você devia fatalmente me deixar agir à vontade, sem sair da cama.

— O raciocínio era justo.

— Sabia, ao vir aqui, que havia uma caixinha escondida num cofre com fechadura secreta, e que o sete de copas era a chave, a solução dessa fechadura. Era necessário somente aplicar esse sete num lugar que lhe fosse visivelmente reservado. Uma hora de busca me bastou.

— Uma hora!

— Observe o homenzinho de mosaico.

— O velho imperador?

— Esse velho imperador é a representação exata do rei de copas de todos os baralhos: Carlos Magno.

— De fato... Mas por que o sete de copas abria tanto o cofre grande como o pequeno? E por que abriu primeiro o cofre grande?

— Por quê? Por me obstinar sempre em colocar o meu sete de copas no mesmo sentido. Só ontem percebi que virando-o, isto é, pondo o sétimo ponto, o do meio, para cima em vez de para baixo, a disposição dos sete pontos se modificava.

— Ora!

— Ora, por certo, mas era preciso pensar nisso.

— Outra coisa: ignorava a história das cartas antes que Sra. Andermatt...

— Falasse nelas na minha frente? Sim. Não achara no cofre, além da caixinha, senão a correspondência dos dois irmãos, correspondência que me pôs no rastro da traição deles.

— Em suma, foi por acaso que conseguiu de início reconstituir a história dos dois irmãos, procurando depois os planos e documentos do submarino?

— Por acaso.

— Com que objetivo os procurou? Daspry me interrompeu rindo:

— Meu Deus! Como este caso lhe interessa!

— Ele me apaixona.

— Bem, logo que tiver levado de volta Sra. Andermatt e enviado ao *Écho de France* uma notinha que vou escrever, regresso e entramos em pormenores.

Sentou-se e escreveu uma daquelas notinhas com que sua imaginação se divertia. Quem não recorda a ressonância que esta teve no mundo inteiro?

Arsène Lupin resolveu o problema que Salvator colocou recentemente. De posse de todos os documentos e planos originais do engenheiro Louis Lacombe, ele os fez chegar às mãos do ministro da Marinha. Neste momento abre uma subscrição com o fim de oferecer ao Estado o primeiro submarino construído segundo esses planos. E ele próprio abre essa subscrição com a soma de vinte mil francos.

— Os vinte mil francos dos cheques de Sr. Andermatt? — disse-lhe, quando me deu o papel para ler.

— Exatamente. É justo que Varin resgate em parte a sua traição.

Foi assim que conheci Arsène Lupin. Assim soube que Jean Daspry, companheiro do círculo de nossa relação social, era Arsène Lupin, ladrão-cavalheiro. Assim criei laços de amizade muito agradáveis com o nosso grande homem e, pouco a pouco, graças à confiança com que tem querido me honrar, me tornei o seu muito humilde, fiel e reconhecido biógrafo.

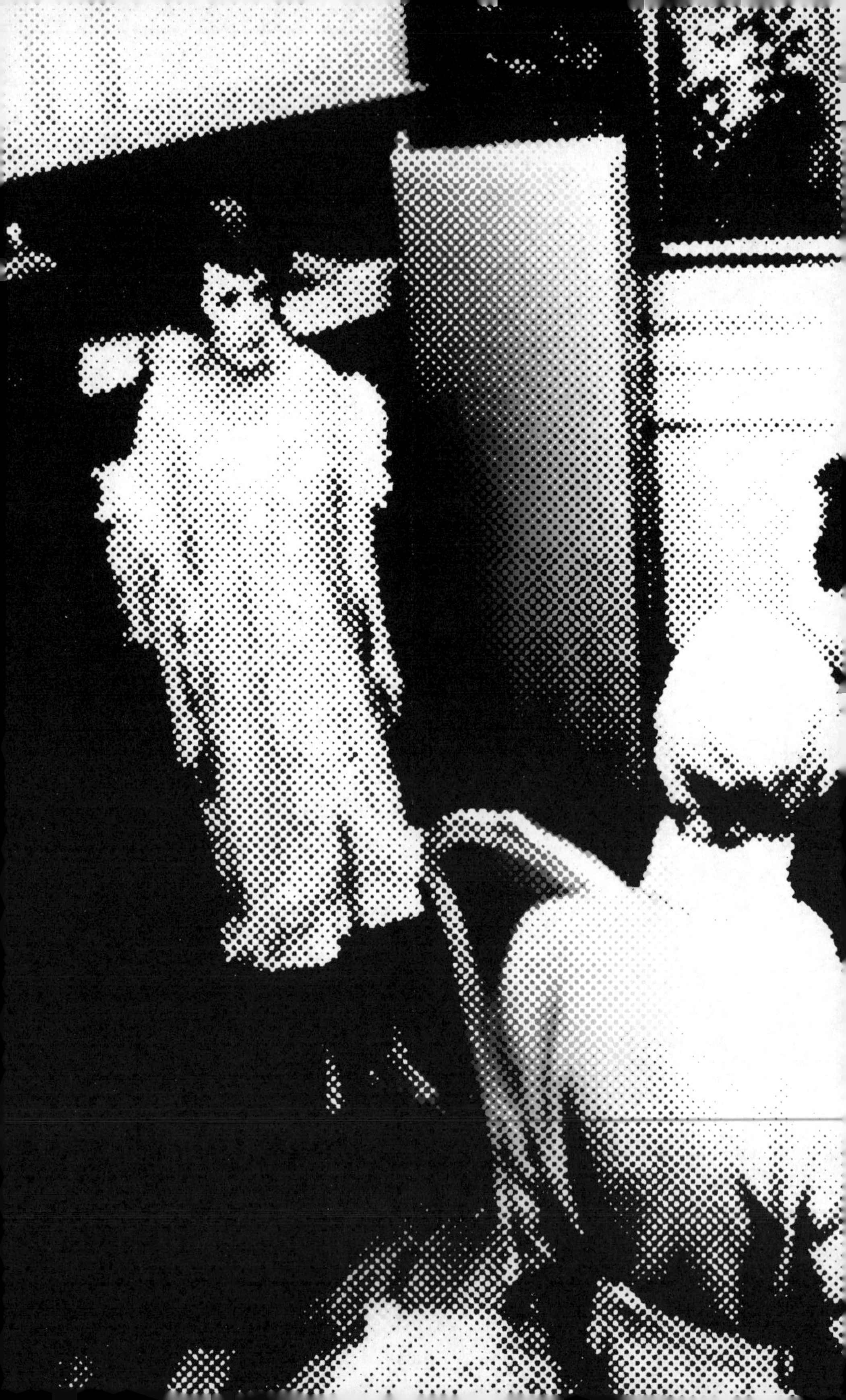

O COFRE DA SRA. IMBERT

Às três da manhã, havia ainda uma meia dúzia de carros em frente a um dos hoteizinhos de pintores que compõem o único lado do Boulevard Berthier. A porta de um deles se abriu. Um grupo de convidados, homens e mulheres, saía. Quatro veículos partiram para um lado e outro e só ficaram na avenida dois senhores que se despediram na esquina da Rue de Courcelles, onde um deles morava. O outro decidiu voltar a pé até a Porte Maillot.

Atravessou a Avenue de Villiers e seguiu pela calçada oposta, em direção às fortificações. Na bela noite de inverno, pura e fria, era um prazer andar. Respirava-se bem. O ruído dos passos soava alegre.

Após alguns minutos, teve a desagradável impressão de que o seguiam. Na verdade, virando-se, notou a sombra de um homem que deslizava entre as árvores. Não era medroso, porém apressou o passo a fim de chegar mais ligeiro ao posto fiscal de Ternes. Mas o homem começou a correr. Bem preocupado, julgou mais prudente enfrentá-lo e tirar a arma do bolso.

Não deu tempo. O homem o atacou violentamente e uma luta se iniciou na avenida deserta, luta corporal em que sentiu logo que levava a pior. Gritou por socorro, debateu-se, foi derrubado em cima de umas pedras, enquanto o outro lhe apertava a garganta. Seu adversário lhe meteu um lenço na boca, amordaçando-o. Seus olhos se fecharam, seus ouvidos zuniam, ia perder os sentidos quando, de repente, o aperto afrouxou e o homem que o sufocava com seu peso se ergueu para se defender de um ataque imprevisto.

Uma bengalada nos pulsos, um pontapé no tornozelo... O homem soltou dois gemidos de dor e fugiu mancando e praguejando.

Sem se dignar a persegui-lo, o recém-chegado se inclinou e disse:

— Está ferido, senhor?

Não estava, mas muito tonto e sem condições de ficar em pé. Felizmente, um dos empregados do posto, atraído pelos gritos, acorreu. Pediram um carro. Subiu, acompanhado de seu salvador, e foi levado para sua casa, na Avenue de la Grande Armée.

Diante da porta, recuperado, fez agradecimentos confusos:

— Devo-lhe a vida, senhor, acredite que não esquecerei. Não desejo assustar minha mulher neste momento, mas quero que ela lhe expresse pessoalmente, ainda hoje, minha gratidão.

Pediu-lhe que viesse almoçar e apresentou-se:

— Ludovic Imbert!

E acrescentou:

— Posso saber a quem tenho a honra...

— Mas certamente! — disse o outro. E se apresentou:

— Arsène Lupin.

Lupin não gozava ainda da celebridade que lhe valeu o caso Cahorn, sua fuga da Santé e tantas outras rumorosas aventuras. Nem mesmo se chamava Arsène Lupin. Esse nome, a que o futuro reservava tanto brilho, foi especialmente imaginado para designar o salvador de Sr. Imbert, e pode-se dizer que foi nesse caso que recebeu seu batismo de fogo. Pronto para a luta, é certo, já com todas as peças funcionando, mas sem recursos, sem a autoridade que dá o sucesso, Arsène Lupin não passava de aprendiz numa profissão em que logo se tornaria um mestre.

Assim, sentiu uma emoção de alegria quando ao acordar se lembrou do convite da madrugada! Enfim chegava à meta! Enfim empreendia uma obra digna de suas forças e de seu talento! Os milhões dos Imbert, que presa magnífica para um apetite como o seu!

Preparou-se especialmente: sobrecasaca puída, calça gasta, chapéu de seda avermelhada, punhos e colarinho falso desfiados, tudo muito limpo, mas cheirando a miséria. Como gravata, uma fita negra alfinetada por um diamante de vidro. Trajado assim irrisoriamente, desceu a escada do alojamento que ocupava em Montmartre. No terceiro andar, sem se deter, bateu com a ponta da bengala numa porta fechada. Saindo, dirigiu-se a uma avenida onde passava um bonde. Tomou lugar e alguém que caminhava atrás dele, o inquilino do terceiro andar, sentou-se a seu lado.

Depois de um momento, esse homem lhe disse:

— E então, chefe?

— Bem, está feito.

— Como?

— Almoço lá.
— Almoça lá!
— Você não queria, espero, que eu gastasse gratuitamente dias tão preciosos como os meus, não é? Arranquei Sr. Ludovic Imbert da morte certa que você lhe reservava. Sr. Ludovic Imbert é uma natureza agradecida. Ele me convida para almoçar.
Um silêncio e o outro arriscou:
— E não vai desistir?
— Meu caro — disse Arsène –, se arranjei aquela pequena agressão noturna, se me dei ao trabalho, às três da manhã, ao longo das fortificações, de bater-lhe com a bengala nos braços e com o pé na canela, com o risco de prejudicar o meu único amigo, não é para renunciar agora à vantagem de um salvamento tão bem organizado.
— E as más notícias que correm sobre a fortuna...
— Deixe que corram. Há seis meses persigo esse negócio, há seis meses que me informo, estudo, estendo as minhas redes, interrogo criados, agiotas e testas-de--ferro, seis meses que vivo à sombra do marido e da mulher. Portanto, sei a que me ater. Que a fortuna provenha do velho Brawford, como pretendem, ou de outra fonte, não importa; afirmo que ela existe. E, visto que existe, já é minha.
— Puxa, cem milhões!
— Vamos supor dez, ou mesmo cinco, não importa! Há grossos maços de títulos no cofre. Será o diabo se um dia desses eu não puser a mão na chave.
O bonde parou na Place de l'Étoile. O homem murmurou:
— Assim, já?
— Por enquanto, não há nada a fazer. Eu o avisarei quando chegar o momento. Temos tempo.
Cinco minutos depois, Arsène Lupin subia a suntuosa escada da mansão Imbert, e Ludovic o apresentou à esposa. Gervaise era uma mulher simpática, pequena, redondinha, conversadeira. Deu a Lupin a melhor acolhida.
— Quis que festejássemos sozinhos o nosso salvador — disse.
E desde o início trataram o "nosso salvador" como um velho amigo. À sobremesa, a intimidade era completa e faziam-se confidências. Arsène narrou sua vida, a de seu pai, íntegro magistrado, as tristezas de sua infância, as dificuldades do presente. Gervaise, por sua vez, falou de sua juventude, do casamento, das bondades do velho Brawford, dos cem milhões que herdara, dos obstáculos que atrasavam a entrada no gozo dessa riqueza, dos empréstimos que teve de contrair com taxas exorbitantes, das intermináveis disputas com os sobrinhos de Brawford, e as contestações, os sequestros, tudo enfim!
— Imagine, Sr. Lupin, que os títulos estão aí ao lado, no escritório de meu marido, e, se destacamos um único cupom, perdemos tudo! Estão aí, no nosso cofre, e não podemos tocar neles.

Um leve estremecimento sacudiu Sr. Lupin com a ideia dessa proximidade. E ele teve a sensação bem clara de que Sr. Lupin não possuiria nunca tanta elegância de alma para sentir os mesmos escrúpulos da boa senhora.

— Ah! Estão aí — murmurou, de garganta seca.
— Estão.

Relações tão bem começadas só podiam criar laços estreitos. Delicadamente interrogado, Arsène Lupin confessou sua pobreza, sua angústia. Na hora, o infeliz rapaz foi nomeado secretário particular dos dois cônjuges, recebendo cento e cinquenta francos por mês. Continuaria a morar onde estava, mas viria a receber diariamente ordens e tarefas e, para maior comodidade, ficava à sua disposição, como gabinete de trabalho, um dos quartos do segundo andar.

Escolheu um que, por sorte, ficava bem em cima do escritório de Ludovic...

Arsène não demorou a notar que seu cargo de secretário lembrava muito uma sinecura. Em dois meses, teve apenas quatro cartas insignificantes para copiar e não foi chamado mais que uma vez ao escritório do patrão, o que lhe permitiu contemplar oficialmente o cofre somente uma vez. Além disso, percebeu que o titular dessa sinecura não devia ser julgado digno de figurar ao lado do deputado Anquety, ou do chefe de advogados Grouvel, pois se omitiram de convidá-lo às famosas recepções sociais.

Não se queixou, preferindo guardar seu modesto lugarzinho à sombra, e manteve-se distante, feliz e livre. Aliás, não perdia tempo. Fez algumas visitas clandestinas ao escritório de Ludovic, apresentando seus respeitos ao cofre, que nem por isso deixava de continuar hermeticamente fechado. Era um bloco enorme de ferro fundido e aço, de aspecto rebarbativo e contra o qual não prevaleceriam nem limas, nem verrumas, nem pés-de-cabra.

Arsène Lupin não era teimoso.

— Onde a força falha, a astúcia vence, pensava. — O essencial é um olho e um ouvido no objetivo.

Tomou, pois, as medidas necessárias e, depois de minuciosas e cansativas sondagens no soalho do seu quarto, meteu o tubo de chumbo que ia dar no forro do escritório entre duas molduras da cornija. Pelo tubo, que servia de binóculo e concha acústica, esperava ver e ouvir.

Desde aí viveu deitado de barriga no soalho. E, de fato, viu muitas vezes os Imbert em conferência diante do cofre, consultando registros e folheando dossiês. Quando giravam sucessivamente os quatro botões que comandavam a fechadura, procurava, para descobrir a cifra, contar o número de encaixes que passavam. Espreitava seus gestos, suas palavras. Que faziam da chave, escondiam-na?

Um dia, desceu às pressas, tendo-os visto sair da peça sem fechar o cofre. Entrou resolutamente e eles estavam de volta.

— Oh, desculpem — disse —, enganei-me de porta.

Mas Gervaise se precipitou, atraindo-o:

— Entre, Sr. Lupin, entre, não está em sua casa? Vai nos dar um conselho. Que títulos devemos vender, do exterior ou dos rendimentos?

— Mas e a contestação? — objetou Lupin, surpreendido.

— Oh! Não atinge todos os títulos.

Ela abriu o batente. Nas prateleiras se amontoavam pastas presas por tiras. Agarrou uma. Seu marido protestou.

— Não, não, Gervaise, seria loucura vender do exterior: vai subir... enquanto os rendimentos estão no máximo. Que julga o meu amigo?

O amigo não tinha nenhuma opinião, porém aconselhou o sacrifício dos rendimentos. Ela pegou outro maço, e dele, ocasionalmente, um papel. Era um título a três por cento de mil trezentos e setenta e quatro francos. Ludovic o pôs no bolso. De tarde, acompanhado pelo secretário, foi vender o título num agente de valores e recebeu quarenta e seis mil francos.

Dissesse o que dissesse Gervaise, Arsène Lupin não se sentia em casa. Ao contrário, sua situação nos Imbert não terminava de surpreendê-lo. Em várias ocasiões, reparou que os criados não sabiam o seu nome e o chamavam apenas de senhor. Ludovic o designava sempre assim:

— Avise o senhor... O senhor já chegou?

Por que esse enigmático modo de referência?

E depois do entusiasmo do princípio, os Imbert mal lhe falavam e, continuando a tratá-lo com a consideração devida a um benfeitor, nunca se ocupavam dele. Davam a impressão de julgá-lo um original que não gosta que o importunem, e seu isolamento era respeitado como se fosse uma regra partida dele, um capricho seu. Uma vez, ao passar pelo vestíbulo, ouviu Gervaise que dizia a dois senhores:

— É tão arredio!

— Seja, pensou, sou arredio.

E, renunciando a explicar as esquisitices daquelas pessoas, empenhava-se na execução de seu plano. Adquirira a certeza de que não podia contar com a sorte, nem com uma leviandade de Gervaise, que levava sempre consigo a chave e, ademais, nunca a tirava sem previamente embaralhar as letras da fechadura. Assim, pois, devia agir.

Um acontecimento precipitou as coisas: a violenta campanha de alguns jornais contra os Imbert, acusados de fraude. Arsène Lupin assistiu às fases do drama, às agitações do casal, e entendeu que, se demorasse mais, ia perder tudo.

Cinco dias seguidos, em vez de sair pelas seis horas como costumava, fechou-se em seu quarto. Julgavam que tinha ido embora, e ele estava estendido no soalho para vigiar o escritório de Ludovic.

Não ocorrendo nas cinco noites a circunstância favorável que aguardava, foi embora durante a noite pela portinha que dava para o pátio e de que tinha a chave.

No sexto dia, soube que os Imbert, respondendo às insinuações malévolas de seus inimigos, tinham proposto que se abrisse o cofre e se fizesse um levantamento.

— Tem de ser esta noite, pensou Lupin.

Depois do jantar, Ludovic se instalou no escritório e Gervaise foi ter com ele. Puseram-se a folhear os registros do cofre.

Decorreu uma hora, depois outra. Ouviu os criados se deitarem. Não havia mais ninguém no primeiro andar. Meia-noite. Os Imbert prosseguiam em sua tarefa.

— Vamos, sussurrou Lupin.

Abriu sua janela. Dava para o pátio, e o espaço, na noite sem lua e sem estrelas, era escuro. Tirou do armário uma corda com nós, que prendeu na borda do parapeito, e foi descendo suavemente, apoiando-se numa calha, até a janela abaixo da sua. Era a do escritório, e o tecido espesso das cortinas felpudas escondia a peça. De pé no parapeito, ficou um momento imóvel, com ouvidos e olhos bem abertos.

Tranquilizado pelo silêncio, correu com leveza as vidraças. Se ninguém se dera ao cuidado de examiná-las, deviam ceder ao esforço, pois ele, durante a tarde, tinha entortado as linguetas de modo que não entrassem nas chapas.

As vidraças cederam. Com precaução infinita, entreabriu-as mais. Quando pôde passar a cabeça por elas, parou. Um pouco de luz passava entre as duas cortinas mal unidas. Viu Gervaise e Ludovic sentados ao lado do cofre.

Trocavam em voz baixa raras palavras, absorvidos por sua tarefa. Arsène calculou a distância que o separava deles, estabeleceu os movimentos exatos que devia fazer para reduzi-los, um após o outro, à impotência, antes que tivessem tempo de chamar por socorro, e ia arremeter quando Gervaise disse:

— Como a sala esfriou de repente! Vou me deitar, e você?

— Gostaria de terminar.

— Terminar? Você tem serviço para toda a noite!

— Oh, não, uma hora no máximo.

Ela se retirou. Vinte minutos, trinta minutos se passaram. Arsène empurrou a janela um pouco mais. As cortinas fremiram. Empurrou mais ainda. Ludovic se virou e, vendo as cortinas inchadas pelo vento, levantou-se para fechar a janela...

Não houve um grito, nem mesmo uma aparência de luta. Com poucos gestos precisos e sem lhe fazer mal, Arsène o atordoou, tapou-lhe a cabeça com a cortina, e de tal modo que Ludovic não distinguiu sequer o rosto de seu agressor.

Depois, rápido, foi ao cofre, pegou duas pastas, que pôs embaixo do braço, saiu do escritório, desceu a escada, atravessou o pátio e abriu a porta de serviço. Uma carruagem estava parada na rua.

— Guarde isto primeiro — disse ao cocheiro — e venha comigo.

Voltaram ao escritório e em duas viagens esvaziaram o cofre. A seguir, Arsène subiu a seu quarto, tirou a corda e apagou todos os sinais de sua passagem. O trabalho estava terminado.

Horas depois, Arsène Lupin, com a ajuda do companheiro, selecionou as pastas. Não sentiu qualquer decepção ao constatar que a fortuna dos Imbert não tinha a importância que lhe atribuíam, pois já contava com isso. Os milhões não se contavam por centenas, nem sequer por dezenas. Mas, enfim, o total formava ainda uma cifra bem respeitável, e eram valores excelentes, títulos do sistema ferroviário, da prefeitura de Paris, de Suez, das minas do norte, fundos do Estado, etc. Declarou-se satisfeito.

— Sem dúvida — disse — o valor desses títulos estará muito reduzido quando chegar a hora de negociar. Encontraremos oposição e teremos mais de uma vez de liquidar por preço baixo. Não importa, com este primeiro capital me encarrego de viver como quero... e de realizar alguns sonhos que me são muito caros.

— E o resto?

— Pode queimar, meu filho. Este monte de papéis fazia boa figura no cofre, mas para nós é inútil. Quanto aos títulos, vamos fechá-los calmamente no armário e esperar o momento propício.

No dia seguinte, pensou que nenhuma razão o impedia de voltar à mansão Imbert. Mas a leitura dos jornais lhe trouxe esta notícia imprevista: Ludovic e Gervaise tinham desaparecido.

A abertura do cofre foi feita com grande solenidade. Os homens da polícia acharam o que Arsène Lupin tinha deixado lá: pouca coisa.

Estes são os fatos e esta a explicação que dá a alguns deles a intervenção de Arsène Lupin. Ouvi a história contada por ele mesmo num dia em que estava com disposição para confidências.

Nesse dia, Arsène andava de um lado a outro em meu gabinete de trabalho e seus olhos tinham um fervor que não lhes conhecia.

— Em suma — disse-lhe —, é o seu mais belo golpe?

Sem me responder diretamente, prosseguiu:

— Há nesse caso segredos impenetráveis. Mesmo depois da explicação que lhe dei, quantas obscuridades persistem! Por que aquela fuga? Por que não se aproveitaram da ajuda que, sem querer, lhes dei? Era tão simples dizer: "Os cem milhões se achavam no cofre; não estão mais aí porque foram roubados".

— Perderam a cabeça.

— Sim, perderam... Por outro lado, é verdade...

— É verdade?...

— Não, nada.

Que significavam essas reticências? Não tinha contado tudo, claro, e o que não contara repugnava-lhe exprimir. Fiquei intrigado. A coisa tinha de ser grave para provocar a hesitação de um homem como aquele.

Arrisquei umas perguntas.

— Não voltou a vê-los?

— Não.

— E não chegou a sentir alguma piedade em relação a esses dois infelizes?

— Eu?! — proferiu num sobressalto.

Sua revolta me admirou. Teria eu acertado o alvo? Insisti.

— É evidente. Sem você, eles podiam ter enfrentado o perigo, ou ao menos ter ido embora com os bolsos cheios.

— Remorsos, é o que me atribui, não é?

— Quem sabe!

Bateu com violência na mesa.

— Assim, segundo você, deveria ter remorsos?

— Chame isso de remorso ou pesar, enfim, um sentimento qualquer...

— Um sentimento por gente que...

— Por gente de quem você tirou uma fortuna.

— Que fortuna?

— Ora, os dois ou três maços de títulos...

— Os dois ou três maços de títulos! Tirei-lhes pacotes de títulos, não é? Uma parte da herança deles? É a minha falta, o meu crime? Mas que diabo, meu caro, não adivinhou que eram falsos os títulos?... Ouviu? Eram falsos!

Olhei-o aturdido.

— Falsos, os quatro ou cinco milhões?

— Falsos — gritou com raiva –, totalmente falsos! As ações, os títulos da Prefeitura de Paris, os fundos do Estado, papel, nada mais que papel! Nem uma moeda, não tirei uma moeda de todo o conjunto! E me pede que tenha remorsos? Eles é que deviam ter! Passaram-me para trás como um trouxa! Depenaram-me como o último dos patos, e o mais imbecil!

Uma cólera real o agitava, feita de rancor e amor-próprio ferido.

— De ponta a ponta estive por baixo, desde o começo! Sabe que papel representei nesse assunto, ou antes, o que eles me fizeram representar? O de André Brawford! Sim, meu caro, e eu não compreendi nada!

— Foi depois, lendo os jornais e juntando alguns detalhes, que percebi. Enquanto eu bancava o benfeitor, o que arriscou a vida para arrancar o marido da garra dos malfeitores, eles me faziam passar por um dos Brawford!

— Não é admirável? Aquele original que tinha um quarto no segundo andar, o arredio que era mostrado de longe, era Brawford, e Brawford era eu! E graças a mim, à confiança que inspirava com o nome de Brawford, os banqueiros emprestavam e os corretores levavam seus clientes a emprestar! Que escola para um estreante, hein?! Ah, juro que aprendi a lição!

Parou de repente, pegou-me no braço e me disse, num tom exasperado em que era fácil, porém, sentir matizes de ironia e admiração, esta frase inefável:

— Meu caro, atualmente, Gervaise Imbert me deve mil e quinhentos francos!

Não pude me impedir de rir. Era dum grotesco superior, e ele mesmo teve um acesso de franca alegria.

— Sim, meu caro, mil e quinhentos francos! Não apenas nunca vi um cêntimo dos meus salários, como ainda ela me pediu emprestados quinhentos francos! Todas as minhas economias de rapaz! E sabe para quê? Receberás em dobro... Para os seus pobres! Exatamente como lhe digo: para pretensos infelizes que ela ajudava sem que Ludovic soubesse!

— E entrei nessa! Engraçado, hein?! Arsène Lupin roubado em mil e quinhentos francos, e pela boa senhora a quem roubava quatro milhões de títulos falsos! E quantas combinações, esforços e astúcias geniais gastei para chegar a esse belo resultado!

— Foi a única vez em que fui enrolado na vida. Mas, puxa! desta vez fui mesmo, redondamente, e pagando caro!...

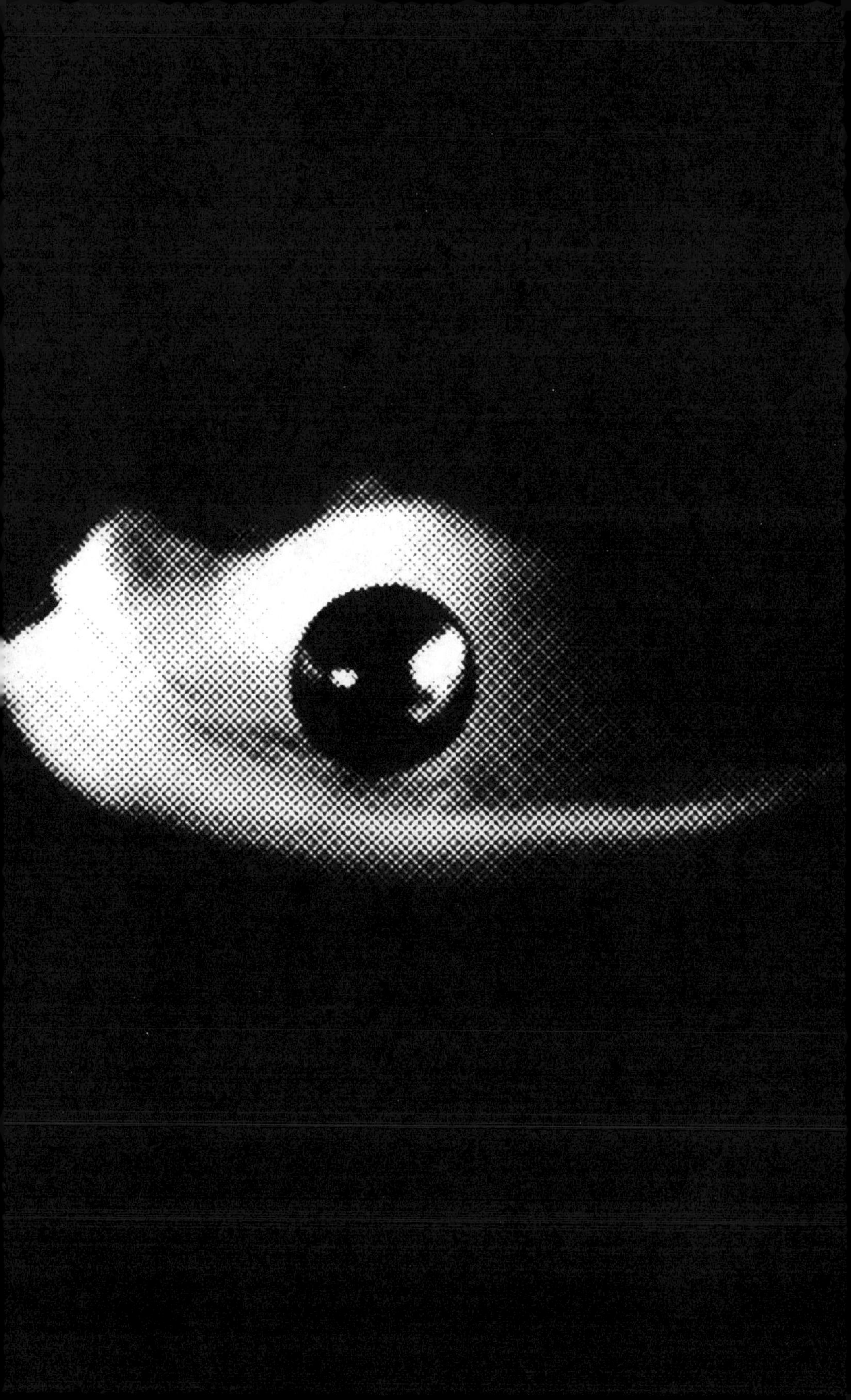

A PÉROLA NEGRA

Um violento toque de campainha acordou a zeladora do número 9 da Avenue Hoche. Ela puxou o cordão resmungando:
— Pensei que todo mundo já tivesse entrado! São no mínimo três horas!
Seu marido disse entredentes:
— Talvez seja para o médico.
Com efeito, uma voz pediu:
— O Dr. Harel... que andar?
— Terceiro, à esquerda. Mas o doutor não atende à noite.
— Ele vai ter que mudar a rotina.
O homem atravessou a entrada, subiu um andar, dois, e, sem mesmo se deter no do Dr. Harel, continuou até o quinto. Ali experimentou duas chaves. Uma fez funcionar a fechadura, a outra, a fechadura de segurança.
— Com perfeição — murmurou — A tarefa fica muito simplificada. Mas, antes de agir, convém assegurar a nossa retirada. Vejamos... Tenho, logicamente, o tempo de bater no apartamento do doutor e ser mandado embora por ele? Não ainda... aguardemos...
Ao fim de uns dez minutos, desceu e bateu na janela da zeladora, praguejando contra o doutor. Abriram-lhe e bateu a porta atrás de si. Ora, a porta não fechou, pois, habilmente, o homem metera um ferrinho no batente da fechadura para que a lingueta não entrasse.
Sem ruído, sem que os porteiros notassem, voltou. Havendo problemas, seu álibi estava garantido.
Tranquilamente, subiu os cinco andares. No hall, à luz duma lanterna elétrica, largou o sobretudo e o chapéu numa das cadeiras, sentou em outra e envolveu as botinas com espessas pantufas de feltro.

— Ufa, pronto... Que fácil! Pergunto-me por que todo mundo não escolhe o confortável ofício de ladrão. Com um pouco de jeito e raciocínio, não existe outro mais encantador. Um ofício descansado, de pai de família... Até cômodo demais... chega a ser entediante.

Desdobrou uma planta detalhada do apartamento.

— Comecemos por nos orientar. Noto aqui o retângulo do vestíbulo em que estou. Do lado da rua, o salão, o gabinete da senhora, a sala de jantar. Inútil perder tempo por aí. Parece que a condessa tem péssimo gosto... Nem um objeto de valor!... Portanto, direto ao objetivo... Ah! aqui está o corredor, o corredor que leva aos quartos. A três metros, devo encontrar a porta do guarda-roupa junto ao quarto da condessa.

Dobrou a planta, apagou a lanterna e caminhou pelo corredor, contando:

— Um metro... dois metros... três... Eis a porta... Como tudo dá certo, meu Deus! Um simples trinco, um trinquinho me separa do quarto, e, o que é melhor, sei que esse trinco se acha a um metro e quarenta e três do soalho... De modo que, com uma pequena incisão que farei em torno, nos livraremos dele...

Tirou do bolso os instrumentos necessários, mas uma ideia o deteve.

— E se porventura esse trinco não tiver sido empurrado? Experimentemos... Não custa tentar...

Experimentou a fechadura. A porta se abriu.

— Meu caro Lupin, você está com sorte. De que precisa agora? Conhece a topografia dos lugares em que vai operar; sabe onde a condessa esconde a pérola negra... Em consequência, para que a pérola negra lhe pertença, é necessário ser estupidamente mais silencioso que o silêncio, mais invisível que a noite.

Arsène Lupin gastou bem uma meia hora para abrir a segunda porta, uma porta de vidro que dava para o quarto. Mas fez isso com tanta precaução que, mesmo que a condessa não estivesse dormindo, nem um som estranho teria podido preocupá-la.

Segundo sua planta indicava, tinha apenas de seguir o contorno de um sofá, passar por uma poltrona e dar com a mesinha posta perto da cama. Na mesa, havia uma caixa de papéis de carta, e, fechada simplesmente nessa caixa, a pérola negra.

Ele se deitou no tapete e seguiu a linha do sofá. Ao fim dela, parou para reprimir as batidas do coração. Embora não tivesse qualquer receio, era-lhe impossível vencer esta espécie de angústia que se sente no excessivo silêncio. Admirou-se com isso, porque enfim vencera sem emoção minutos mais solenes. Nenhum perigo o ameaçava. Então por que seu coração batia como um sino doido? Seria aquela mulher dormindo que o impressionava, aquela vida tão próxima da sua?

Pensou ter escutado o barulho de uma respiração. Sentiu-se tranquilizado como por uma presença amiga.

Procurou a poltrona; depois, com pequenos gestos insensíveis, rastejou até a mesa, tateando a sombra com o braço estendido. Sua mão direita encontrou um dos pés da mesa.

Enfim! Tudo que precisava fazer era se levantar, pegar a pérola e ir embora. Felizmente! Pois seu coração recomeçava a saltar no peito como um animal aterrorizado, e com tal ruído que lhe parecia impossível que a condessa não acordasse.

Acalmou-o num prodigioso esforço de vontade, mas, no momento em que tentava se levantar, sua mão esquerda tocou, no tapete, num objeto que reconheceu logo como um castiçal, um castiçal emborcado, logo em seguida em outro, um relógio, desses de viagem, recobertos por um estojo de couro.

Como? O que ocorria? Não estava entendendo. Esse castiçal, esse relógio... por que não estavam em seu lugar habitual? Ah, o que teria se passado na sombra assustadora?

Súbito, um grito lhe escapou. Tocara... oh, em que coisa estranha, inominável! Mas não, não, o medo lhe perturbava o cérebro. Vinte segundos, trinta segundos, permaneceu imóvel, pasmado, a testa suando. E seus dedos conservavam a sensação daquele contato.

Num esforço implacável, estendeu de novo o braço. Sua mão de novo roçou a coisa, a coisa estranha, inominável. Apalpou-a. Exigiu que sua mão apalpasse e se desse conta do que era: uma cabeleira, um rosto... e esse rosto estava frio, quase gelado.

Por aterradora que seja a realidade, um homem como Arsène Lupin a domina desde que dela tome conhecimento. Rápido, acendeu a lanterna. Uma mulher jazia diante dele, coberta de sangue. Ferimentos horríveis devastavam seu pescoço e seus ombros. Inclinou-se e examinou-a. Estava morta.

— Morta, morta, repetia para si mesmo com estupor.

Olhou seus olhos fixos, o ricto da boca, a carne lívida, e o sangue, todo o sangue que correra para o tapete e agora se coagulava, espesso e negro.

Tendo-se levantado, apertou o interruptor de luz e a peça se iluminou. Pôde ver todos os sinais de uma luta encarniçada. A cama estava toda desfeita, os cobertores e lençóis, jogados. No chão, o castiçal, o relógio — em que os ponteiros marcavam onze e vinte —, mais longe uma cadeira virada, e sangue em toda parte, manchas de sangue.

— E a pérola negra? — murmurou.

A caixa de papéis de carta estava no lugar. Abriu-a vivamente. O estojo estava ali, mas vazio.

— Você se gabou um pouco cedo da sua sorte, amigo Arsène Lupin... A condessa assassinada, a pérola negra sumida... a situação não é brilhante. Vamos embora, sem o que você se arrisca a incorrer em sérias responsabilidades.

Não se mexeu, no entanto.

— Ir embora? Sim, outro iria. Mas Arsène Lupin? Não tem algo melhor a fazer? Vamos proceder por ordem. Afinal, sua consciência está tranquila... Suponha que você seja comissário de polícia e tem de fazer um inquérito... Sim, mas para isso teria que estar com a cabeça mais clara. E a minha está turvíssima.

Caiu na poltrona, com as mãos crispadas na testa ardente.

* * *

O caso da Avenue Hoche foi um dos que mais intrigaram e provocaram a curiosidade nos últimos tempos, e sem dúvida não o narraria se a participação de Arsène Lupin não o esclarecesse com uma luz toda especial. Poucos suspeitam dessa participação e ninguém sabe, em todo caso, a exata e curiosa verdade.

Quem não sabia, por ter encontrado no Bois, Léontine Zalti, a ex-cantora, esposa e viúva do Conde d'Andillot, a Zalti, cujo luxo deslumbrava Paris há uns vinte anos, a condessa d'Andillot, a quem os adornos de diamantes e pérolas davam uma notoriedade europeia? Dizia-se que ela levava nos ombros a caixa-forte de alguns bancos e as minas de ouro de várias companhias australianas. Os grandes joalheiros trabalhavam para a Zalti como antigamente trabalharam para reis.

E quem não se lembra da catástrofe que engoliu todas essas riquezas? O abismo levou bancos e minas de ouro, devorou tudo. Da coleção maravilhosa, dispersa pelo comissário da penhora, sobrou somente a famosa pérola negra. A pérola negra! Teria uma fortuna, se a condessa quisesse se separar dela.

Não quis. Preferiu se restringir, viver num apartamento simples, com sua dama de companhia, cozinheira e um criado, a vender a joia inestimável. Havia um motivo que não temia confessar: a pérola negra era o presente de um imperador! E quase na pobreza, reduzida à existência mais medíocre, permaneceu fiel à sua companheira dos melhores dias.

— Enquanto eu viver — dizia — ela ficará comigo.

Todo o dia a tinha no pescoço, e de noite a guardava em lugar que só ela conhecia.

Esses fatos, recordados pela imprensa, estimularam a curiosidade, e, que é inusitado, mas fácil de entender para os que possuíam a chave do segredo, foi que justamente a prisão do suposto assassino complicou o enigma e prolongou a emoção. Dois dias depois, com efeito, era publicada a seguinte notícia:

"Fomos informados da prisão de Victor Danègre, o criado da condessa d'Andillot. As acusações contra ele são esmagadoras. Na manga de seu uniforme, em tecido lustroso, que Sr. Dudouis, o chefe da Sûreté, encontrou em seu sótão, debaixo do colchão, havia manchas de sangue. Além disso, faltava a esse uniforme um botão forrado de tecido que, desde o início da investigação, fora recolhido sob a própria cama da vítima.

É provável que depois do jantar Danègre, em vez de ir para seu quarto, foi ao quarto de vestir e, pela porta envidraçada, viu a condessa esconder a pérola negra.

Devemos dizer que até aqui nenhuma prova veio confirmar essa hipótese. E um outro ponto permanece obscuro. Às sete da manhã, Danègre foi à tabacaria do Boulevard de Courcelles; a zeladora, primeiro, e depois o empregado da loja o testemunharam. Por outro lado, a cozinheira da condessa e sua dama de companhia, que *dormem ambas no fim do corredor, declaram que às oito horas, quando se levantaram, a porta do vestíbulo e a da cozinha estavam fechadas com duas voltas. Há vinte anos no serviço da condessa, essas duas estão acima de qualquer suspeita. Pergunta-se, assim, como Danègre pôde sair do apartamento. Teria mandado fazer uma outra chave? A investigação esclarecerá esses diferentes pontos."*

A investigação não esclareceu absolutamente nada. Ao contrário. Soube-se que Victor Danègre era um reincidente perigoso, um alcoólatra e um libertino, que uma facada não assustaria. E o próprio caso parecia, à medida que era examinado, envolver-se em trevas mais densas e contradições mais inexplicáveis.

De início, uma jovem de Sinclèves, prima e única herdeira da vítima, declarou que a condessa, um mês antes de sua morte, lhe confiara numa de suas cartas a maneira como escondia a pérola. No dia seguinte àquele em que recebeu essa carta, constatou seu desaparecimento. Quem a teria roubado?

Por sua vez, os porteiros contaram que tinham aberto a porta a um indivíduo, que subira até o apartamento do Dr. Harel. Chamaram o doutor. Ninguém tinha batido em sua casa. Então quem era esse indivíduo, um cúmplice?

A hipótese de um cúmplice foi adotada pela imprensa e o público. Ganimard, o velho inspetor, a defendia, não sem razão.

— Há algo de Lupin em tudo isso — disse ele ao juiz.

— Você vê o seu Lupin em toda parte! — comentou o juiz.

— Vejo-o em toda parte porque está em toda parte.

— O senhor o vê cada vez que uma coisa não lhe soa muito clara. Aliás, no caso, note isto: o crime foi cometido às onze e vinte da noite, como comprova o relógio parado, e a visita noturna, denunciada pelos porteiros, só ocorreu às três da manhã.

A justiça não raro obedece a esses encadeamentos de opinião que fazem com que se obriguem os fatos a se dobrar à explicação inicial dada a eles. Os deploráveis antecedentes de Victor Danègre, reincidente, bêbado e farrista, influenciaram o juiz, e, apesar de que nenhuma circunstância nova viesse corroborar os dois ou três indícios descobertos de saída, nada pôde abalá-lo. Algumas semanas depois os debates começavam.

Os debates foram confusos e apáticos. O presidente do júri os dirigiu sem ardor. A promotoria pública atacou suavemente. Nessas condições, o advogado de Danègre controlou a situação. Mostrou as lacunas e as impossibilidades da acusação. Não existia nenhuma prova material. Quem tinha feito a chave, a indispensável chave sem a qual Danègre, depois de sair, não teria podido fechar com duas voltas a porta do apartamento? Quem tinha visto essa chave e o que ocorrera com ela? Quem tinha visto a faca do assassino e onde estava?

— Em todo o caso — concluiu o advogado —, provem que foi o meu cliente que matou. Provem que o autor do roubo e do crime não foi essa misteriosa personagem que penetrou no prédio às três da manhã.

O relógio marcava onze horas, dirão. E daí? Não se podem pôr os ponteiros na hora que nos convém?

Victor Danègre foi absolvido.

* * *

Saiu da prisão numa sexta-feira ao fim do dia, deprimido por seis meses de cela. O inquérito, o isolamento, os debates, as deliberações do júri, tudo isso o enchera de um medo doentio. De noite, horríveis pesadelos, visões do cadafalso o perseguiam. Tremia de febre e de terror.

Sob o nome de Anatole Dufour, alugou um quartinho nas alturas de Montmartre, e viveu, segundo o que parecia, de um lado para outro.

Uma existência lamentável. Admitido por três patrões diferentes, foi reconhecido e imediatamente despedido.

Muitas vezes notou, ou julgou notar, que homens o seguiam, homens da polícia, não duvidava, que não renunciara em fazê-lo cair em alguma armadilha. E sentia de antemão o rude aperto de mãos que o pegavam pelo colarinho.

Uma noite, jantava num restaurante do bairro e alguém se instalou à sua frente. Era um indivíduo duns quarenta anos, com uma sobrecasaca preta de suspeita limpeza. Pediu uma sopa, legumes e um litro de vinho.

Ao terminar a sopa, virou-se para Danègre e o fitou longamente.

Danègre empalideceu. Por certo esse era um dos que o seguiam havia semanas. Que desejaria?

Tentou se levantar e não pôde. Suas pernas fraquejavam.

O homem se serviu dum copo de vinho e encheu o de Danègre.

— Vamos brincar, companheiro?

Victor balbuciou:

— Sim... sim... à sua saúde, amigo.

— À sua, Victor Danègre.

O outro estremeceu:

— Eu!... Eu!... mas não... juro-lhe...

— Jura o quê? Que você não é você, o criado da condessa?

— Que criado? Eu me chamo Dufour. Pergunte ao dono da casa.

— Dufour, Anatole, sim, para o dono, mas Danègre para a justiça, Victor Danègre.

— Não é certo! Não é, é mentira.

O outro tirou do bolso um cartão que lhe passou. Victor leu. "Grimaudan, ex-inspetor da Sûreté. Informações confidenciais."

Sobressaltou-se:

— Você é da polícia?

— Não mais, mas o ofício me agradava e continuo duma maneira mais... lucrativa. De tempos em tempos se topam negócios de ouro... como o seu.
— O meu?
— Sim, o seu: é um negócio excepcional, se quiser gastar nele um pouco de boa vontade.
— E se não quiser?
— Tem de querer. Está numa situação em que não pode recusar nada.
Uma surda apreensão invadiu Victor Danègre. Perguntou:
— Que há?... Fale.
— Isso — respondeu o outro.
— Ao que interessa. Em duas palavras: fui mandado por senhorita Sinclèves.
— Sinclèves?
— A herdeira da condessa d'Andillot.
— E daí?
— Senhorita Sinclèves me encarregou de lhe solicitar a pérola negra.
— A pérola negra?
— A que você roubou.
— Mas não a tenho!
— Tem.
— Se tivesse, seria eu o assassino.
— É o assassino. Danègre tentou rir.
— Felizmente, meu caro senhor, o tribunal não foi da mesma opinião. Todos os jurados, ouviu? Me consideram inocente. E quando temos a consciência do nosso lado e a aprovação de doze pessoas honestas...
O ex-inspetor lhe pegou no braço:
— Nada de frases, rapaz. Escute-me com atenção e pondere as minhas palavras, que elas o merecem. Três semanas antes do crime, furtou na cozinha a chave que abre a porta de serviço e mandou fazer uma igual no serralheiro Outard, na Rue Oberkampf, 244.
— Não é verdade — rosnou Victor. — Ninguém viu essa chave... ela não existe.
— Ela está aqui.
Uma pausa e Grimaudan prosseguiu:
— Matou a condessa com uma faca comprada no Bazar da República, no mesmo dia em que mandou fazer a sua chave. A lâmina era triangular e vazada por uma estria.
— Isso é brincadeira; fala por falar. Ninguém viu a faca.
— Está aqui.
Danègre fez um movimento de recuo. O ex-inspetor continuou:
— Tem manchas de ferrugem. Preciso lhe explicar de onde vieram?
— E daí?... o senhor mostra uma chave e uma faca, mas quem poderá afirmar que me pertencem?

— O serralheiro em primeiro lugar, e em segundo o empregado de quem você comprou a faca. Refresquei a memória dos dois e, diante de você, não hesitarão em reconhecê-lo.

Falava seca e duramente, com uma precisão aterradora. Danègre tremia de medo. Nem o juiz, nem o presidente do júri, nem o promotor o tinham apertado assim, ou olhado com tanta clareza coisas que ele mesmo já não discernia muito nitidamente.

Tentou, porém, ainda fingir indiferença:

— Se essas são todas as suas provas...

— Ainda me sobra uma. Depois do crime, você se retirou pelo mesmo caminho. Mas, no quarto de vestir, amedrontado, teve de se apoiar na parede para manter o equilíbrio.

— Como sabe? — gaguejou Victor. — Ninguém pode saber disso...

— Quanto à justiça, vá; não podia vir à cabeça dum desses senhores acender uma vela e examinar as paredes. Mas se isso for feito, verão no gesso branco uma marca vermelha, leve, mas bastante nítida para que se encontre nela a impressão do seu polegar, que você encostou na parede, úmido de sangue. E você não ignora que em antropometria esse é um dos principais meios de identificação.

Victor Danègre perdeu a cor. Gotas de suor lhe escorriam da testa. Observava com olhos de louco esse homem estranho que recordava o seu crime como se o tivesse visto.

Baixou a cabeça, vencido, impotente. Há meses lutava contra todo mundo. Contra esse homem, tinha a impressão de que não havia nada a fazer.

— Se lhe entrego a pérola — balbuciou —, quanto me dará?

— Nada.

— Como?! Está brincando! Eu lhe darei uma coisa que vale milhares, centenas de milhares, e não receberei nada?

— Receberá: a vida.

O miserável se arrepiou. Grimaudan acrescentou, num tom quase doce:

— Vamos, Danègre, essa pérola não tem qualquer valor para você. Não pode vendê-la. Para que ficar com ela?

— Há receptadores... e um dia ou outro, por qualquer preço...

— Um dia ou outro será tarde demais.

— Por quê?

— Porque a justiça o terá agarrado de novo e, dessa vez, com as provas que lhe fornecerei, a faca, a chave e a indicação do seu polegar, estará perdido, meu caro.

Victor apertou a cabeça com as duas mãos e pensou. Sentia-se perdido, com efeito, irremediavelmente, e ao mesmo tempo um grande cansaço o dominava, uma imensa necessidade de repouso e abandono.

— Quando precisa dela?

— Esta noite, antes da uma hora.

— Do contrário...

— Do contrário, ponho no correio esta carta em que senhorita Sinclèves o denuncia ao ministério público.

Danègre se serviu de dois copos de vinho que bebeu em duas goladas. Em seguida, erguendo-se:

— Pague a conta e vamos. Já não aguento esse maldito assunto.

A noite chegara. Os dois homens desceram a Rue Lepic e seguiram pelas avenidas em direção à Place de l'Étoile. Caminhavam silenciosamente, Victor com as costas curvadas e exausto. No Parc Monceau, disse:

— É do lado do prédio...

— Claro! Antes de ser preso, só saiu para ir à tabacaria.

— Chegamos — disse Danègre em voz opaca. Costearam a grade do jardim e atravessaram uma rua que tinha na esquina a tabacaria. Passos adiante, Danègre parou. Suas pernas vacilavam. Jogou-se num banco.

— E então? — perguntou o outro.

— É aqui.

— Aqui! Que é que está me dizendo?!

— Sim, aqui, na nossa frente.

— Na nossa frente! Ande, Danègre, não convém...

— Repito que ela está aqui.

— Onde?

— Entre duas pedras da calçada.

— Quais?

— Procure.

— Quais? — insistiu Grimaudan.

Victor não respondeu.

— Ah, perfeito, está querendo me enganar, rapaz.

— Não... mas... vou morrer sem nada.

— Ah, hesita? Vá, serei magnânimo. De quanto precisa?

— O que dê para comprar uma passagem de terceira para a América.

— Combinado.

— E uma nota de cem francos para as primeiras despesas.

— Terá duas. Fale.

— Conte as pedras, à direita do bueiro. É entre a décima segunda e a décima terceira.

— No meio-fio?

— Sim, embaixo da calçada.

Grimaudan olhou em torno. Bondes passavam, pessoas passavam. Mas quem podia desconfiar?... Abriu seu canivete e meteu-o entre a décima segunda e a décima terceira pedra.

— E se não estiver aqui?

— Se ninguém me viu enterrá-la, há de estar.

Estaria mesmo ali? A pérola negra ao lado de uma calçada, à disposição do primeiro que chegasse! A pérola negra, aquela fortuna!

— A que profundidade?

— Uns dez centímetros, mais ou menos.

Cavou o barro úmido. A ponta do canivete tocou em algo. Com os dedos alargou o buraco. Viu a pérola negra.

— Tome, eis os seus duzentos francos. Eu lhe mandarei a passagem para a América.

No dia seguinte, o *Écho de France* publicava esta nota, que foi reproduzido pelos jornais do mundo inteiro:

Desde ontem, a famosa pérola negra está em mãos de Arsène Lupin, que a retomou do assassino da condessa d´Andillot. Em breve, fotografias dessa preciosa joia serão expostas em Londres, São Petersburgo, Calcutá, Buenos Aires e Nova York.

Arsène Lupin aguarda as propostas que desejarem fazer-lhe por correspondência.

* * *

— E é assim que o crime é sempre punido e a virtude recompensada — concluiu Arsène Lupin, logo que me revelou a parte secreta do caso.

— E é assim que, com o nome de Grimaudan, ex-inspetor da Sûreté, você foi escolhido pelo destino para tirar do criminoso o benefício do seu crime.

— Justamente. E confesso que é das aventuras de que mais me orgulho. Os quarenta minutos que passei no apartamento da condessa, depois de ter verificado a sua morte, estão entre os mais assombrosos e profundos da minha vida. Em quarenta minutos, enredado pela situação mais complicada, reconstituí o crime e adquiri a certeza, com a ajuda de alguns indícios, de que o culpado só podia ser um dos empregados da condessa. Por fim, compreendi que, para ter a pérola, era preciso que esse criado fosse preso — e deixei onde estava o botão do uniforme —, mas que não devia haver contra ele provas irrefutáveis de sua culpa — e apanhei a faca esquecida sobre o tapete, levei a chave deixada na fechadura, fechei a porta com duas voltas e apaguei a marca dos dedos no gesso do quarto de vestir. A meu ver, foi uma dessas iluminações...

— De gênio — interrompi.

— De gênio, se deseja, e que não teria visitado o cérebro de qualquer um. Adivinhar num segundo as duas etapas do assunto — uma prisão e uma absolvição —, servir-me do aparelho formidável da justiça para perturbar o homem, embrutecê-lo e, em suma, pô-lo num tal estado de espírito que, uma vez livre, devia, inevitável e fatalmente, cair no laço um tanto grosseiro que lhe armei!...

— Um tanto? Diga bastante, pois ele não corria risco algum.
— Oh, o menor risco, já que toda a absolvição unânime é definitiva.
— Pobre-diabo...
— Victor Danègre, pobre-diabo! Esqueceu que era um assassino? Seria a última imoralidade, se a pérola negra ficasse com ele. Está vivo. Pense nisso, Danègre vive!
— E a pérola negra é sua.

Tirou-a de um dos escaninhos ocultos da sua pasta, examinou-a, afagando-a com os dedos e os olhos, e deu um suspiro:

— Que aristocrata russo, que marajá imbecil e vaidoso possuirá este tesouro? A que bilionário americano estará destinado o pedacinho de beleza e luxo que ornava as brancas espáduas de Léontine Zalti, condessa d'Andillot?...

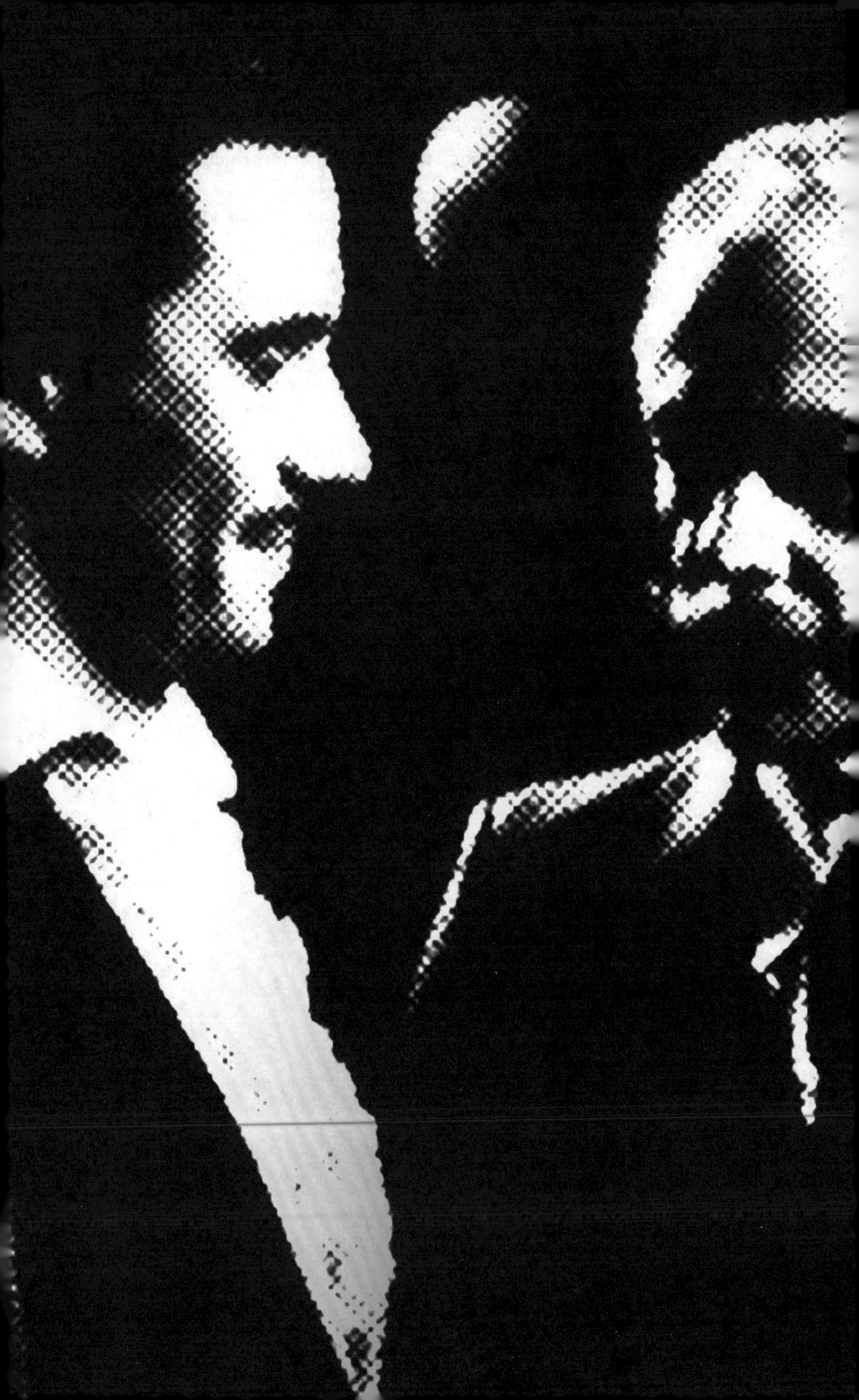

HERLOCK SHOLMES CHEGA TARDE

— Estranho como você se parece com Arsène Lupin, Velmont!

— Você o conhece?

— Oh, como todo mundo, pelas fotografias; nenhuma das quais é semelhante, mas cada uma deixa a impressão de uma mesma fisionomia... que é como a sua.

Horace Velmont pareceu antes contrafeito.

— Pois é, caro Devanne. E você não é o primeiro a me fazer essa observação, creia.

— A tal ponto — insistiu Devanne — que, se não tivesse sido recomendado por meu primo D'Estevan e não fosse o conhecido pintor cujas belas paisagens marinhas tanto admiro, pergunto-me se não teria avisado a polícia de sua presença em Dieppe.

A tirada foi recebida com uma risada geral. Estavam ali, além de Velmont, na grande sala de jantar do Castelo de Thibermesnil, o Abade Gélis, pároco da aldeia, e uma dúzia de oficiais, cujos regimentos faziam manobras na região e tinham aceitado o convite do banqueiro Georges Devanne e de sua mãe. Um deles exclamou:

— Mas não é que justamente Arsène Lupin foi visto aqui pela costa, depois do seu famoso golpe no rápido Paris-Le Havre?

— Isso faz uns três meses. Na semana seguinte, conhecia no cassino o nosso querido Velmont, que depois quis me honrar com algumas visitas, agradável preâmbulo de uma visita mais demorada que me fará um desses dias... ou talvez uma dessas noites!

Riram outra vez e passaram à antiga sala dos guardas, peça ampla, muito alta, que ocupa toda a parte inferior da Torre Guillaume, e onde Georges Devanne reuniu incomparáveis riquezas, acumuladas através de séculos pelos senhores de Thibermesnil: baús e credencias, esculturas de ferro para lareiras e girândolas. Magníficas tapeçarias pendem nas paredes de pedra. Os vãos das quatro janelas são profundos, com bancos à frente, e fechados por vidraças em ogiva com vitrais enquadrados de chumbo. Entre a porta e a janela da esquerda se ergue uma monumental estante de estilo Renascença, em cujo frontão se lê em letras de ouro: Thibermesnil, e embaixo a altiva máxima da família: "Faze o que quiseres."

Acenderam-se charutos e Devanne prosseguiu:

— Apenas despache-se, Velmont, que é a última noite que lhe resta.

— Por quê? — disse o pintor, que, sem dúvida, levava a coisa na brincadeira.

Devanne ia responder quando sua mãe lhe fez um sinal. Mas a animação do jantar, o desejo de interessar os hóspedes prevaleceram.

— Oh! — murmurou — posso falar agora. Não é mais necessário recear uma indiscrição.

Sentaram em torno dele com viva curiosidade, e ele declarou, com ar satisfeito de alguém que anuncia uma notícia importante:

— Amanhã, às quatro horas, Herlock Sholmes, o grande policial inglês para quem não existem casos insolúveis, Herlock Sholmes, o mais extraordinário decifrador de enigmas jamais visto, a prodigiosa personagem que parece forjada pela imaginação de um romancista, amanhã Herlock Sholmes será meu hóspede.

Houve exclamações. Herlock Sholmes em Thibermesnil? Então era sério? Arsène Lupin se achava na região?

— Arsène Lupin e seu bando não estão longe. Sem contar o caso Cahorn, a quem atribuir os roubos de Montigny, de Gruchet, de Crasville, senão ao nosso ladrão nacional? Agora é a minha vez.

— E está prevenido, como o barão Cahorn?

— O mesmo truque não funciona duas vezes.

— Então?

— Então vejam.

Ergueu-se e, apontando com o dedo, numa das prateleiras da estante, um espaço vazio entre dois enormes infólios, disse:

— Havia ali um livro, um livro do século XVI, intitulado a Crônica de Thibermesnil, e que era a história do castelo desde sua construção pelo Duque Rollon no lugar de uma fortaleza feudal. Continha três gravuras. Uma representava uma vista de cima do conjunto do domínio, a segunda a planta dos edifícios, a terceira — chamo a atenção para isto — o traçado de um subterrâneo, do qual uma das saídas se abria além da primeira linha das muralhas e a outra dava aqui, sim, nesta mesma sala em que estamos. Ora, esse livro desapareceu desde o mês passado.

— Puxa, — disse Velmont — mau sinal. Porém isso não basta para motivar a intervenção de Herlock Sholmes.

— Por certo não bastaria, se não tivesse ocorrido outro fato que dá ao que acabo de lhes contar toda a sua significação. Existia na Biblioteca Nacional um segundo exemplar dessa Crônica, e os dois exemplares diferiam em certos detalhes relativos ao subterrâneo, como o estabelecimento de uma profundidade e de uma escala, e diversas anotações, não impressas, mas escritas a tinta e mais ou menos apagadas. Estava a par dessas particularidades e sabia que o trajeto definitivo não poderia ser reconstituído senão pela confrontação minuciosa dos dois mapas. Ora, no dia seguinte àquele em que meu exemplar desapareceu, o da Biblioteca Nacional era pedido por um leitor que o levou, sem que se pudessem determinar as condições em que o roubo foi feito.

Vozes de surpresa acolheram essas palavras.

— Desta vez então a coisa é séria.

— Sim — afirmou Devanne —, a polícia enfim reagiu e procedeu a um duplo inquérito, que, aliás, não deu nenhum resultado.

— Como todos aqueles de que Arsène Lupin é o objeto.

— Precisamente. Foi aí que me veio a ideia de pedir a ajuda de Herlock Sholmes, que me respondeu que tinha o maior desejo de entrar em contato com Arsène Lupin.

— Que glória para Arsène Lupin! — afirmou Velmont. — Mas se o nosso ladrão nacional, como o chamou, não alimenta qualquer projeto sobre Thibermesnil, Herlock Sholmes ficará fazendo o quê?

— Há outra coisa que sem dúvida lhe interessará, a descoberta do subterrâneo.

— Como, não nos disse que uma das entradas era no campo e a outra neste salão?

— Onde, em que lugar do salão? A linha que representa o subterrâneo nos mapas leva, de um lado, a um pequeno círculo com estas duas maiúsculas: T. G., o que certamente quer dizer Torre Guillaume, não é? Mas a torre é redonda, e quem poderia determinar a que ponto desse círculo se refere o traçado do desenho?

Devanne acendeu seu segundo charuto e se serviu de um copo de Bénédictine. Foi crivado de perguntas e sorria, feliz pelo interesse despertado. Por fim, declarou:

— O segredo está perdido.

Ninguém no mundo o conhece. De pai a filho, diz a lenda, os poderosos senhores o transmitiam na hora da morte, até o dia em que Geoffroy, último do nome, teve a cabeça cortada no cadafalso, a 7 de Termidor do ano II, aos dezenove anos.

— Mas estão procurando há um século!

— Procuram, mas em vão. Eu mesmo, quando comprei o castelo do sobrinho-bisneto do Convencional Leribourg, mandei fazer escavações. Para quê? Pensem que esta torre, cercada de água, está ligada ao castelo por uma ponte, de modo que o subterrâneo tem de passar sob os antigos fossos. O mapa da Biblioteca Nacional mostra, aliás, uma sequência de quatro escadas, somando quarenta e oito degraus, o que deixa supor uma profundidade de mais de dez metros. E a escala, anexa ao outro mapa, fixa a distância em duzentos metros. Na realidade, todo o problema está aqui, entre este soalho, este forro e estas paredes. Palavra, confesso que hesito em demoli-los.

— E não se tem nenhum indício?
— Nenhum.

O abade Gélis objetou:
— Sr. Devanne, não devemos perder de vista as duas citações.
— Oh! — riu Devanne — o senhor pároco é um remexedor de arquivos, um grande leitor de memórias, e tudo o que diz respeito a Thibermesnil o apaixona. Mas a explicação a que se refere serve só para confundir as coisas.
— Ainda assim...
— Faz questão?
— Toda.
— Saibam, pois, que ele deduziu de suas leituras que dois reis da França conheciam o segredo do enigma.
— Dois reis!
— Henrique IV e Luís XVI.
— Não é qualquer pessoa... E como o senhor pároco soube disso?...
— Oh! É simples — continuou Devanne. — Na antevéspera da Batalha de Arques, o Rei Henrique IV veio jantar e dormir neste castelo. Às onze da noite, Louise de Tancarville, a mais bonita mulher da Normandia, foi levada até ele pelo subterrâneo com a cumplicidade do Duque Edgard, que, nessa ocasião, expôs o segredo de família. Henrique IV contou mais tarde ao seu ministro Sully, que narra a passagem em suas *Royales Economies d'État* (Economias do Estado Real), sem outro comentário desta frase incompreensível: "O machado gira no ar trêmulo, mas a asa se abre e vamos para Deus".

Houve um silêncio e Velmont brincou:
— Não é de uma clareza ofuscante.
— Não é? O senhor pároco defende que Sully referiu desse modo a solução do enigma, sem trair o segredo aos escribas a que ditava suas memórias.
— A hipótese é engenhosa.
— Concedo, mas o que é o machado que gira e o pássaro que voa?
— E quem é que vai até Deus?
— Mistério.

Velmont retomou:
— E o bom Luís XVI? Teria sido igualmente para que recebesse a visita de uma dama que se abriu o subterrâneo?
— Ignoro. O que se pode dizer é que Luís XVI esteve aqui em 1784, e que o famoso armário de ferro, achado no Louvre por uma revelação de Gamain, continha um papel com estas palavras escritas por ele: "Thibermesnil: 2-6-12".

Horace Velmont deu uma risada:

— Vitória! As trevas se dissipam cada vez mais. Duas vezes seis são doze.

— Ria à vontade, senhor — falou o pároco. — Isso não impede que essas duas citações contenham a solução, e que um dia ou outro chegará alguém que saiba interpretá-las.

— Herlock Sholmes primeiro — disse Devanne. — A menos que Arsène Lupin se adiante a ele...

Que pensa disso, Velmont?

Este se ergueu, pôs a mão no ombro de Devanne e declarou:

— Penso que aos dados fornecidos pelo seu livro e pelo da Biblioteca Nacional faltava uma informação da mais alta importância, e que teve a gentileza de me oferecer. Agradeço-lhe.

— De modo que...?

— De modo que agora, tendo o machado girado, o pássaro ido embora e duas vezes seis feito doze, não tenho mais do que me pôr em campo.

— Sem perder um minuto.

— Sem perder um segundo! Não é preciso que esta noite, isto é, antes da chegada de Herlock Sholmes, eu roube o seu castelo?

— É fato que lhe sobra o tempo justo. Quer que o conduza?

— Até Dieppe?

— Até Dieppe. Aproveito para trazer eu mesmo o casal D'Androl e a filha de uns amigos deles que chegam pelo trem da meia-noite.

Devanne acrescentou:

— Vamos nos reencontrar todos aqui amanhã para o almoço, não é, senhores? Estou contando com a presença de todos, pois o castelo deve ser arremetido por suas tropas e tomado de assalto às onze horas.

O convite foi aceito, despediram-se e, instantes mais tarde, um 20-30 Étoile d'Or levava Devanne e Velmont pela estrada de Dieppe. Devanne deixou o pintor diante do cassino e foi para a estação.

À meia-noite, seus amigos desciam do trem. À meia-noite e meia o carro atravessava as portas de Thibermesnil. À uma da madrugada leve ceia servida no salão, recolheram-se, e pouco a pouco todas as luzes se apagaram. O grande silêncio da noite envolvia o castelo.

* * *

Mas a lua separou as nuvens que a cobriam e, por duas das janelas, encheu a sala de estar com luz branca, que durou apenas um momento. Muito rapidamente, a lua se escondeu atrás da cortina das colinas e a escuridão voltou. O silêncio cresceu com a sombra mais densa. Somente, de tempos em tempos, estalidos de móveis o turbavam, ou o ruído dos juncos no lago que banha com as águas verdes as velhas muralhas.

O relógio marcava uma cadeia infinita de segundos. Ele bateu duas horas. Então novamente os segundos caíram apressados e monótonos na pesada paz da noite. Então soaram três horas.

E de repente algo estalou, como, na passagem dum trem, um sinal que se abre e fecha. E um feixe de luz atravessou a sala de estar feito uma flecha, deixando um rastro brilhante. Vinha da estria central duma pilastra em que, à direita, se apoiava o frontão da estante. Parou primeiro, na parede oposta, num círculo brilhante, em seguida passeou por todos os lados como um olhar preocupado que examina a sombra, depois sumiu para surgir de novo, enquanto toda uma parte da estante girava sobre si mesma e desvelava uma larga abertura em forma de abóbada.

Entrou um homem, que tinha à mão uma lanterna elétrica. Outro e um terceiro surgiram, trazendo um rolo de cordas e diferentes instrumentos. O primeiro inspecionou o lugar, parou para escutar e disse:

— Chame os companheiros.

Desses companheiros, vieram oito pelo subterrâneo, rapazes fortes, de rosto enérgico. A mudança começou. Foi rápida. Arsène Lupin passava de um móvel a outro, considerava-o e, segundo suas dimensões ou seu valor artístico, descartava-o ou ordenava:

— Retirem!

E o objeto era transportado, engolido pela boca escancarada do túnel, enviado às entranhas da terra.

Assim foram recolhidas seis poltronas e seis cadeiras Luís XV, tapeçarias de Aubusson, girândolas assinadas por Gouthiere, e dois Fragonard, e um Nattier, e um busto de Houdon, e algumas estatuetas. Às vezes Lupin se demorava ante um magnífico baú ou um quadro soberbo e suspirava:

— Pesado demais este... grande demais... que pena!

E continuava sua vistoria.

Em quarenta minutos a sala foi "desocupada", segundo a expressão de Arsène. E tudo isso era realizado numa ordem admirável, sem nenhum ruído, como se todos os objetos que estes homens manejavam tivessem sido guarnecidos de espesso acolchoamento.

Disse ao último deles, que ia levando um relógio de parede assinado por Boulle:

— Não precisa voltar. Combinado, não é? Logo que o caminhão esteja carregado, sigam até a granja de Roquefort.

— E o senhor, chefe?

— Deixem-me a motocicleta.

O homem se foi. Ele empurrou para o lugar o lado móvel da estante, fez desaparecer qualquer traço da mudança, apagou as marcas de passos, levantou uma cortina e penetrou numa galeria que servia de comunicação entre a torre e o castelo.

No meio havia uma vitrine. Por causa dela Arsène Lupin prosseguia em sua exploração. Continha maravilhas, uma coleção única de relógios de bolso, caixas de rapé, anéis, correntes, miniaturas das mais belas. Com uma alavanca, forçou a fechadura, e foi para ele um prazer inexprimível pegar aquelas joias de ouro e prata, pequenas obras de uma arte tão preciosas e delicadas.

Tinha pendurado no pescoço uma grande bolsa especialmente preparada para esses momentos afortunados. Encheu-a. E encheu também os bolsos da jaqueta, da calça e do colete. E fechava o braço esquerdo sobre uma pilha dessas redezinhas de pérolas, tão apreciadas por nossos antepassados e que hoje estão muito em moda, quando um leve ruído lhe atingiu os ouvidos.

Ele ouviu, não era engano, pois o ruído se repetia. De repente se lembrou: na ponta da galeria, uma escada interior levava a um apartamento antes desocupado, mas que estava reservado para esta noite à jovem que Devanne tinha ido buscar em Dieppe com seus amigos D'Androl.

Num gesto rápido, apertou com o dedo a mola de sua lanterna, apagando-a. E mal tinha alcançado o vão de uma janela quando, no topo da escada, a porta foi aberta e uma débil claridade iluminou a galeria.

Meio escondido por uma cortina, não conseguiu ver, mas teve a sensação de que alguém descia os primeiros degraus com cautela. Pensou que não fosse muito longe, porém a pessoa avançou vários passos no cômodo e deu um grito. Sem dúvida vira a vitrine quebrada e quase vazia.

Pelo perfume, reconheceu a presença de uma mulher. Suas vestes quase roçavam a cortina que o ocultava, e pareceu-lhe ouvir o coração dela e também que ela adivinhava a presença de outro ser, atrás de si, na sombra, ao alcance de sua mão... Pensou: "Está com medo... vai embora... impossível que não vá". Mas não foi. A vela que tremia em sua mão deixou de tremer. Voltou-se, hesitou um instante, pareceu escutar o temível silêncio e logo, num golpe, afastou a cortina. Eles se viram.

Arsène murmurou, transtornado:

— Você... você... senhorita!

Era senhorita Nelly.

Senhorita Nelly, a passageira do transatlântico, a que havia unido seus sonhos aos do jovem durante aquela inesquecível travessia, a que tinha assistido à sua prisão, e que, em vez de traí-lo, tinha tido aquele belo gesto de atirar ao mar a Kodak onde ele tinha escondido as joias e as notas de mil... Senhorita Nelly, a querida e sorridente criatura cuja imagem tinha tantas vezes entristecido ou alegrado suas longas horas de cadeia!

O acaso, que os punha na presença um do outro nesse castelo e a essa hora da noite, era tão prodigioso que não se mexeram nem pronunciaram uma palavra, como hipnotizados pela fantástica aparição que um representava para o outro.

Cambaleando, quebrada de emoção, senhorita Nelly teve de se sentar.

Ele permaneceu parado diante dela. E aos poucos, durante os intermináveis segundos que transcorriam, teve consciência da impressão que devia dar neste momento, com os braços cheios de bugigangas, os bolsos inchados, a bolsa cheia até a borda. Grande confusão o invadiu e ele corou por estar ali, na posição desagradável de ladrão pego em flagrante. Para ela, de agora em diante, acontecesse o que acontecesse, era o ladrão, o que mete a mão no bolso alheio, o que força as portas e se introduz furtivamente.

Um dos relógios de bolso rolou no tapete; outro também. Iam escorregar dos braços ainda mais coisas, que ele não sabia como reter. De repente, decidiu e deixou cair numa poltrona uma parte dos objetos, esvaziou os bolsos e se desfez da bolsa.

Sentiu-se mais à vontade diante de Nelly e deu um passo em sua direção com intenção de lhe falar. Mas ela teve um gesto de recuo, levantou-se com vivacidade e correu para o salão. A cortina se fechou atrás dela, mas ele foi ao seu encontro. Lá estava, contraída, trêmula, e seus olhos contemplavam com terror a imensa sala devastada. Ele lhe disse:

— Amanhã às três horas tudo será recolocado no lugar... Os móveis serão trazidos...

Ela não respondeu e ele insistiu:

— Amanhã às três horas, eu me comprometo... Nada no mundo me impedirá de cumprir essa promessa... Amanhã às três...

Um demorado silêncio pesou sobre eles. Não ousava rompê-lo e a emoção da moça lhe causava um verdadeiro sofrimento. Docemente, sem uma palavra, afastou-se.

E pensava:

"Que ela vá embora!... Que se sinta livre para ir!... Que não tenha medo de mim!"

Mas de súbito ela estremeceu e balbuciou:

— Escute... passos... ouço alguém caminhar...

Olhou-a com pasmo. Parecia transtornada, como pela aproximação de um perigo.

— Não ouço nada — disse ele —, e de qualquer forma...

— Como! Mas precisa fugir... rápido, fuja...

— Fugir... por quê?...

— Precisa... precisa... Ah! Não fique aí...

Num pulo, ela correu até a entrada da galeria e ficou escutando.

Não, não havia ninguém. Talvez o ruído viesse de fora... Esperou um instante, e logo, tranquilizada, virou-se.

Arsène Lupin tinha desaparecido.

* * *

No mesmo instante em que Devanne constatou a pilhagem do seu castelo, pensou:

— Foi Velmont que deu o golpe, e Velmont é Arsène Lupin.

Tudo se explicava assim, e nada de outro modo. Essa ideia, porém, só passou por ele, a tal ponto era inverossímil que Velmont não fosse Velmont, o conhecido pintor, o camarada de roda de seu primo D'Estevan. E quando o cabo da guarda, avisado imediatamente, se apresentou, Devanne não pensou sequer em lhe comunicar essa absurda suposição.

Toda a manhã em Thibermesnil foi um vaivém indescritível. Os guardas, o comissário de polícia de Dieppe, a guarda rural, os habitantes da aldeia, todo mundo pelos corredores, pelo parque ou em volta do castelo. A abordagem, tropas em manobras, o estalar das armas, tudo isso se adicionava à cena pitoresca.

As primeiras buscas não forneceram nenhuma pista. As janelas não tinham sido quebradas nem as portas arrombadas, de modo que a remoção tinha de ter sido feita pela saída secreta. No tapete, nenhuma marca de um passo, nem nas paredes qualquer vestígio incomum.

Só uma coisa, inesperada, e a denotar bem a fantasia de Arsène Lupin: a famosa crônica do século XVI tinha voltado ao seu lugar, e ao lado estava um livro semelhante que não era senão o exemplar roubado da Biblioteca Nacional.

Às onze horas chegaram os policiais. Devanne os acolheu alegremente, pois, fosse qual fosse o aborrecimento que lhe causara a perda de tais riquezas artísticas, sua fortuna lhe permitia suportá-la sem mau humor. Seus amigos D'Androl e Nelly desceram.

Feitas as apresentações, notou-se que faltava um convidado, Horace Velmont. Não viria?

Sua ausência teria reativado a desconfiança de Georges Devanne. Mas, ao meio-dia em ponto, ele entrou. Devanne alegrou-se:

— Em boa hora! Chegou!

— Não estou no horário?

— Sim, mas podia não estar depois de uma noite tão agitada!... Conhece as novidades?

— Quais?

— Você roubou o castelo.

— Puxa!

— É como estou lhe dizendo. Mas dê antes o braço à senhorita Underdown e passemos à mesa... Permite, senhorita?

Interrompeu-se, vendo a perturbação da moça. Logo, recordando-se:

— Ah, viajou com Arsène Lupin há tempos, antes de ele ser preso... A parecença a surpreende, não é?

Ela não respondeu. À sua frente, Velmont sorria. Inclinou-se e ela lhe deu o braço. Levou-a ao seu lugar e sentou-se diante dela.

Durante o almoço só se falou de Arsène Lupin, dos móveis roubados, de Herlock Sholmes. No fim da refeição apenas, como se abordassem outros assuntos, Velmont participou da conversa. Foi sucessivamente divertido e grave, eloquente e espirituoso. E tudo o que dizia parecia dizer só para interessar à moça. Ela, porém, muito absorta, aparentava não o escutar.

Serviram o café na esplanada que domina o pátio principal e o jardim francês do lado da fachada mais importante. No gramado, a banda do regimento começou a tocar, e o grande número de camponeses e soldados se espalhou pelos cantos do parque.

Nelly lembrava-se da promessa de Arsène Lupin: "Às três horas tudo estará aí, prometo".

Às três horas! E os ponteiros do grande relógio que ornava a ala direita marcavam duas e quarenta. Fitava-os sem querer a todo momento, e também a Velmont, que se embalava tranquilamente numa confortável cadeira de balanço.

Duas horas e cinquenta... duas horas e cinquenta e cinco... uma espécie de impaciência mesclada com angústia envolveu a jovem. Era admissível que o milagre se fizesse, e no minuto fixado, enquanto o castelo, o pátio, o campo estavam cheios de gente, e o promotor e o juiz de instrução levavam a efeito seu inquérito?

E no entanto... no entanto Arsène Lupin tinha prometido com tal solenidade! Seria como ele disse, pensou, impressionada por tudo o que havia neste homem de energia, autoridade e certeza. E aquilo lhe soava não como um milagre, mas como um acontecimento natural que devia se produzir pela força das coisas.

Por um segundo seus olhares se cruzaram. Ela enrubesceu e virou o rosto.

Três horas... Bateu a primeira pancada, a segunda, a terceira... Horace Velmont tirou o relógio do bolso, ergueu os olhos para o pêndulo, guardou o relógio. Passaram-se alguns segundos e as pessoas se afastaram no gramado, dando passagem a dois veículos que acabavam de atravessar o portão do parque, ambos puxados por dois cavalos. Eram desses furgões que seguem os regimentos com víveres para os oficiais e malas dos soldados. Pararam ante a escada de pedra. Um suboficial saltou de um deles e perguntou por Sr. Devanne.

Este acorreu, descendo os degraus. Sob os toldos viu, cuidadosamente embalados, seus móveis, quadros, objetos de arte.

Às perguntas que lhe fizeram, o suboficial respondia exibindo a ordem que recebera do ajudante de serviço, e que lhe tinha sido dada no relatório da manhã. Por essa ordem, a segunda companhia do quarto batalhão devia providenciar para que os objetos colocados na encruzilhada dos Halleux, na floresta de Arques, fossem levados às três horas a Sr. Georges Devanne, proprietário do Castelo de Thibermesnil. Assinado: coronel Beauvel.

— Na encruzilhada — informou o suboficial —, tudo estava pronto, alinhado na grama e sob a guarda de gente do lugar paga só para isso. Achei esquisito, mas quê! A ordem era categórica.

Um dos oficiais examinou a assinatura. Falsa, embora perfeitamente imitada.

A música parou, esvaziaram os furgões, reinstalaram os móveis.

Em meio a essa agitação, Nelly ficou sozinha na ponta da esplanada. Estava inquieta, com pensamentos confusos que não tentava formular. Notou que Velmont se acercava. Desejou evitá-lo, mas o ângulo da balaustrada a circundava pelos lados e uma linha de grandes caixas de arbustos por trás, não lhe deixando outra saída a não ser o caminho por onde avançava o rapaz. Não se moveu. Um raio de sol tremia em seus cabelos dourados, sacudido pelas folhas leves dum bambu. Alguém pronunciou baixinho:

— Mantive minha promessa desta noite.

Arsène Lupin estava junto a ela e, em volta deles, ninguém.

Repetiu, hesitante, com voz tímida:

— Mantive minha promessa desta noite.

Esperava uma palavra de agradecimento, um gesto ao menos que demonstrasse o interesse que ela tinha nesse ato. Ela calou.

Esse desprezo irritou Arsène Lupin, e tinha ao mesmo tempo o sentimento profundo de tudo o que o separava de Nelly, agora que ela vira a realidade. Quis se desculpar, encontrar explicações, mostrar sua vida no que tinha de audacioso e de grande. Mas as palavras o contrariavam antes de sair, e sentia o absurdo e a insolência de qualquer explicação. Murmurou tristemente, invadido por uma onda de lembranças:

— Como o passado está distante! Lembra-se das longas horas na ponte do Provence? Ah! veja... tinha, como hoje, uma rosa na mão, e pálida como esta... Pedi que me desse e não pareceu ouvir. Mas depois que saiu encontrei a rosa... esquecida, sem dúvida... e a guardei.

Ela não respondeu ainda, parecia longe dali. Ele continuou:

— Em memória dessas horas, não fique pensando no que sabe. Que o passado se ligue ao presente! Que eu não seja o que viu esta noite, mas o de antes, e que seus olhos me fitem, ainda que apenas um segundo, como me fitavam... Peço-lhe... Não sou mais o mesmo?

Ela ergueu os olhos, como ele pedira, e o fitou. A seguir, sem falar, pôs o dedo no anel que ele tinha no indicador. Só se via o aro, mas o engaste, virado para dentro, prendia um rubi maravilhoso.

Arsène Lupin corou. O anel pertencia a Georges Devanne. Sorriu com amargura.

— Está certa. Quem foi sempre há de ser. Arsène Lupin não é e não pode ser outro senão Arsène Lupin, e entre você e ele não pode sequer haver uma lembrança... Perdoe. Deveria ter compreendido que até a minha presença ao seu lado é um ultraje.

Recuou para a balaustrada, de chapéu na mão. Nelly passou diante dele. Esteve tentado a retê-la, a implorar. Faltou-lhe a ousadia e seguiu-a com os olhos, como no longínquo dia em que atravessava a escada no cais de Nova York. Ela subiu os degraus para a porta. Um instante ainda sua delicada silhueta se desenhou entre os mármores da entrada, e não a viu mais.

Uma nuvem obscureceu o sol. Arsène Lupin observava, imóvel, o rastro dos pequenos passos impressos na areia. Súbito agitou-se: no retângulo de arbustos em que Nelly se apoiara, jazia a rosa, a rosa pálida que não ousara lhe pedir... Esquecida sem dúvida essa também. Mas esquecida deliberadamente ou por distração?

Pegou-a com tal ardor que algumas pétalas se destacaram. Recolheu-as uma a uma como relíquias...

— Vamos — disse a si mesmo —, nada mais tenho a fazer aqui. E logo que Herlock Sholmes se meta, isso pode piorar.

* * *

O parque estava deserto, mas no pavilhão, bem na entrada, havia um grupo de policiais. Meteu-se pelo bosque, escalou o muro da periferia e tomou, para chegar à estação mais próxima, um caminho que serpeava pelos campos. Não tinha andado dez minutos e o caminho se apertou, encaixado entre duas encostas; ao chegar nesse desfiladeiro, vinha por ele alguém em sentido contrário.

Era um homem talvez de cinquenta anos, bastante forte, de rosto raspado, e cuja roupa mostrava ser estrangeiro. Trazia à mão uma pesada bengala e uma sacola lhe pendia do ombro.

Cruzaram-se. O estrangeiro disse, com um sotaque inglês apenas perceptível:

— Desculpe, senhor... É esta a estrada do castelo?

— Vá reto e pegue à esquerda ao chegar junto ao muro. Esperam pelo senhor com impaciência.

— Ah!

— Sim, meu amigo Devanne nos anunciou a sua visita desde ontem à noite.

— Pior para ele se falou demais.

— E tenho o prazer de ser o primeiro a saudá-lo. Herlock Sholmes não tem admirador mais entusiasta que eu.

Houve em sua voz um mínimo matiz de ironia que lamentou imediatamente, pois Herlock Sholmes o fitou dos pés à cabeça, num olhar ao mesmo tempo tão envolvente e tão agudo que Arsène Lupin teve a impressão de ser agarrado, preso, registrado por esse olhar, de maneira mais exata e essencial do que nunca fora por qualquer aparelho fotográfico.

"A chapa está tirada", pensou. "Com este homenzinho não paga a pena eu me disfarçar. Mas... será que me reconheceu?"

Despediram-se. Ecoou, no entanto, um ruído de cavalos que caracolavam com estalidos metálicos. Eram os guardas. Os dois homens tiveram de se apertar contra a encosta, nos verdes altos, para evitar serem atropelados. Passaram os guardas e, como iam a certa distância uns dos outros, demoraram. Lupin pensava: "Tudo depende desta questão: será que me reconheceu? Se sim, há boa margem para que abuse da situação; é angustiante".

Quando o último cavaleiro passou por eles, Herlock Sholmes se endireitou e, sem falar, limpou a roupa empoeirada. A correia de sua sacola se pegara um galho de espinhos. Arsène Lupin livrou-a. Ainda um segundo se examinaram. E, se alguém os surpreendesse nesse instante, ficaria comovido com o espetáculo do primeiro encontro desses dois homens tão poderosamente armados, ambos superiores e fatalmente destinados por suas aptidões especiais a se chocarem como duas forças iguais que a ordem das coisas lançasse uma contra a outra através do espaço.

Disse o inglês:

— Obrigado, senhor.

— Às suas ordens — respondeu Lupin. Afastaram-se. Lupin foi para a estação, Herlock Sholmes para o castelo.

O juiz de instrução e o promotor tinham partido depois de buscas vãs e se esperava Herlock Sholmes com a curiosidade justificada por sua grande reputação. Houve alguma decepção com seu aspecto burguês, a diferir tão profundamente da imagem que faziam dele. Nada tinha do herói de romance, da personagem enigmática e diabólica que desperta em nós a ideia de Herlock Sholmes. Devanne, porém, bradou, cheio de exuberância:

— Enfim, mestre, chega! Que felicidade! Há tanto o esperava... Estou quase contente com o que se passou por me valer o prazer de vê-lo. A propósito, de que modo veio?

— De trem.

— Que pena! Mas eu tinha lhe mandado um automóvel ao desembarque.

— Uma chegada oficial, não é? Com tambor e música. Ótimo meio de me facilitar a tarefa — resmungou o inglês.

O tom pouco atraente desconcertou Devanne, que se esforçou, porém, por brincar:

— Felizmente a tarefa é mais fácil do que lhe tinha escrito.

— E por quê?

— Porque o roubo teve lugar esta noite.

— Se não tivesse anunciado a minha visita, senhor, é provável que o roubo não tivesse ocorrido esta noite.

— E então quando?

— Amanhã, ou outro dia.

— E nesse caso?

— Lupin cairia no laço.

— E meus móveis?

— Não teriam sido levados.

— Mas estão aqui.

— Aqui?

— Foram trazidos às três horas.

— Por Lupin?

— Por dois furgões militares.

Herlock Sholmes enfiou o chapéu na cabeça e agarrou a sacola, mas Devanne bradou:

— Que está fazendo?

— Vou embora.

— Por quê?

— Seus móveis estão aí. Arsène Lupin, distante. Meu trabalho terminou.

— Mas tenho necessidade absoluta do seu concurso, caro senhor. O que se passou ontem pode voltar a ocorrer amanhã, já que ignoramos o mais importante: como entrou Arsène Lupin, como saiu, e por que, horas mais tarde, fez a restituição.

— Ah! Ignoram...

A ideia de um segredo a descobrir amenizou Herlock Sholmes.

— Seja, procuremos. Mas depressa, não é? E, tanto quanto possível, sozinhos.

A frase se referia claramente aos assistentes. Devanne compreendeu e introduziu o inglês no salão. Num tom seco, em frases que pareciam contadas de antemão — e com que parcimônia! —, Sholmes lhe fez perguntas sobre a noitada da véspera, os convivas que ali estavam, os frequentadores do castelo. Logo examinou os dois volumes da Crônica, comparou os mapas do subterrâneo, fez que repetisse as citações achadas pelo Abade Gélis e perguntou:

— Foi ontem que pela primeira vez falou nessas duas citações?

— Ontem.

— Não as tinha dito antes a Sr. Horace Velmont?

— Não.

— Bem. Providencie o automóvel. Regresso dentro de uma hora.

— Dentro de uma hora!

— Arsène Lupin não demorou mais do que isso para resolver o problema que o senhor lhe colocou.

— Eu!... lhe coloquei?...

— Claro, Arsène Lupin e Velmont são a mesma pessoa.

— Eu desconfiava... Ah! O malandro!

— Ora, ontem à noite, às dez horas, forneceu os elementos que lhe faltavam e procurava há semanas. E ao correr da noite Lupin teve tempo de entender, reunir seu bando e roubá-lo. Tenho a pretensão de ser tão expedito quanto ele.

Andou de um lado a outro da peça, refletindo, depois sentou-se, cruzou as longas pernas e fechou os olhos.

Devanne esperava, embaraçado. "Dorme? Pensa?"

Não sabendo, saiu para dar ordens. Quando voltou, notou-o ao pé da escada da galeria, de joelhos, examinando o tapete.

— Que há aí?

— Olhe... aqui... estes pingos de vela...

— Oh, de fato... e frescos...

— Observará o mesmo no alto da escada, e mais ainda em volta deste mostruário que Arsène Lupin quebrou, e de que tirou os objetos para colocar nesta poltrona.

— E conclui disso...?

— Nada. Todos esses fatos explicariam sem qualquer dúvida a restituição que fez. Mas é um lado da questão que não tenho tempo de abordar. O essencial é o trajeto do subterrâneo.

— Espera ainda...

— Não espero, sei. Existe, não é? Uma capela a duzentos ou trezentos metros do castelo?

— Uma capela em ruínas, em que está a tumba do Duque Rollon.

— Diga ao seu chofer que nos espere junto a essa capela.

— Ele ainda não voltou. Vão me avisar... Mas, pelo que vejo, acha que o subterrâneo vai dar na capela. Sobre que indício...

Herlock Sholmes o interrompeu:

— Peço que me consiga uma escada e uma lanterna.

— Ah! Precisa de uma lanterna e de uma escada?

— Provavelmente, já que estou lhe pedindo.

Devanne, um pouco sem jeito, puxou a campainha dos criados e os dois objetos foram trazidos.

As ordens passaram a se suceder com rigor e a precisão de um bom comandante militar.

— Ponha esta escada contra a estante, à esquerda da palavra Thibermesnil...

Devanne arrumou a escada e o inglês prosseguiu:

— Mais à esquerda... à direita... aí! Suba... Bem... Todas as letras deste nome estão em relevo, não é?

— Sim.

— Vamos tratar da letra h. Vira, num sentido ou noutro?

Devanne pegou o h e exclamou:

— Mas sim, ela se mexe! Para a direita, um quarto de círculo! Quem lhe tinha dito?...

Sem responder, Herlock Sholmes continuou:

— Pode, de onde está, alcançar a letra r? Sim... Mexa nela várias vezes como faria com um trinco que se põe e tira.

Devanne remexeu na letra r e, para sua estupefação, houve uma sacudida interna.

— Perfeito — disse Herlock Sholmes. — Resta-nos apenas passar a sua escada para a outra ponta, ao fim da palavra Thibermesnil... Bem... E agora, se não me engano, se as coisas correrem como devem, a letra l se abrirá tal como uma portinhola.

Com certa gravidade, Devanne pegou a letra l. Ela se abriu, mas ele rolou da escada, pois toda a parte da estante situada entre a primeira e a última letra da palavra girou sobre si mesma e descobriu o orifício do subterrâneo.

Herlock Sholmes pronunciou, fleumático:

— Não está ferido?

— Não, não — respondeu Devanne levantando-se —, não ferido, mas assustado... estas letras que se mexem... este subterrâneo aberto...
— E então? Não está tudo exatamente de acordo com a citação de Sully?
— Em quê, senhor?
— Puxa! O h gira, o r treme e o l se abre... e é o que permitiu a Henrique IV receber senhorita Tancarville a uma hora insólita.
— Mas Luís XVI? — perguntou Devanne, consternado.
— Luís XVI era um grande ferreiro e um serralheiro hábil. Li um Tratado das fechaduras de combinação que é tido como dele. Da parte de Thibermesnil, era conduzir-se como bom cortesão mostrar ao chefe esta obra-prima de mecânica. Para memorizar, o rei escreveu: 2-6-12, isto é, h, r e l, a segunda, a sexta e a décima segunda letra do nome.
— Ah! Perfeito, começo a compreender... Apenas... Se entendo como se sai desta sala, não entendo como Lupin pôde aqui entrar. Pois, note bem, ele veio de fora.
Herlock Sholmes acendeu a lanterna e avançou uns passos no subterrâneo.
— Olhe, todo o mecanismo se vê daqui como as molas dum relógio, e todas as letras estão aí ao contrário. Lupin só precisou mexer nelas deste lado do tabique.
— Qual a prova?
— A prova? Veja esta mancha de óleo. Ele até previu que as molas precisariam ser engraxadas — acrescentou Sholmes não sem admiração.
— Mas então ele conhecia a outra saída?
— Como eu conheço. Siga-me.
— Pelo subterrâneo?
— Tem medo?
— Não, mas está certo de saber o caminho?
— De olhos fechados.
Desceram primeiro doze degraus, logo outros doze, e ainda duas vezes outros doze. Percorreram um longo corredor, cujas paredes de tijolos traziam a marca de sucessivas restaurações e que ressumavam em alguns lugares. O chão era úmido.
— Passamos sob o lago — observou Devanne, nada seguro.
O corredor levava a uma escada de doze degraus, seguida de três outras da mesma altura, que subiram penosamente para sair numa pequena cavidade talhada na própria rocha. O caminho não ia mais longe.
— Diabo — murmurou Herlock Sholmes —, muros nus, isso se torna embaraçoso.
— Quem sabe voltamos? — murmurou Devanne. — Quanto a mim, não tenho nenhuma necessidade de saber mais do que isso. Estou satisfeito.
Mas, tendo levantado a cabeça, o inglês soltou um suspiro de alívio: acima deles se repetia o mesmo mecanismo da entrada. Bastou manobrar as três letras, e um bloco de granito se moveu. Do outro lado estava a pedra tumbal do Duque

Rollon, gravada com doze letras em relevo: Thibermesnil. Achavam-se na capelinha em ruínas que o inglês tinha indicado.

— E se vai até Deus, isto é, até a capela — disse, referindo-se ao fim da citação.

— Será possível! — exclamou Devanne, confundido pela clarividência e a vivacidade de Herlock Sholmes. — Será possível que essa simples indicação tenha lhe bastado?

— Ora! — retrucou o inglês — ela era até dispensável. No exemplar da Biblioteca Nacional, o traçado termina à esquerda, como você sabe, por um círculo, e à direita, você o ignora, por uma cruzinha, mas tão apagada que só se pode ver com lente. Essa cruz significa evidentemente a capela em que estamos.

O pobre Devanne não acreditava nos próprios ouvidos.

— É inaudito, milagroso, e no entanto duma simplicidade infantil. Como ninguém nunca descobriu essa solução?

— Porque ninguém reuniu nunca os três ou quatro elementos necessários, isto é, os dois livros e as citações... Ninguém, fora Arsène Lupin e eu.

— Mas eu também — objetou Devanne —, e o capelão Gélis... Sabíamos os dois tanto quanto vocês, contudo...

Sholmes sorriu.

— Sr. Devanne, nem todo o mundo está apto a decifrar enigmas.

— Mas há dez anos que procuro, e o senhor, em dez minutos...

— Ora, o hábito...

Saíram da capela e o inglês exclamou:

— Olhe, um automóvel esperando!

— Mas é o meu!

— O seu? Pensei que o chofer não tinha voltado.

— De fato... e me pergunto...

Foram até o carro e Devanne interpelou o chofer:

— Édouard, quem lhe deu ordem de vir aqui?

— Mas — respondeu o homem — foi Sr. Velmont.

— Sr. Velmont? Então o viu novamente?

— Na estação. Disse para eu vir à capela.

— À capela! Mas para quê?

— Para esperar aqui pelo senhor... e o seu amigo...

Devanne e Herlock Sholmes se olharam. Devanne disse:

— Ele entendeu que o enigma seria um jogo para você. A homenagem é delicada.

Um sorriso de contentamento curvou os lábios finos do detetive. A homenagem lhe agradava. Disse, sacudindo a cabeça:

— É um homem perspicaz. Bastou vê-lo, aliás, e o tinha julgado.

— Então o viu?

— Há pouco cruzamos um com o outro.

— E sabia que era Horace Velmont, quero dizer, Arsène Lupin?

— Não, mas fui rápido em adivinhar... por uma certa ironia de sua parte.

— E deixou-o escapar?

— Deixei, por minha fé... E estava na melhor situação... cinco guardas passavam.

— Mas, meu Deus, era uma oportunidade única a aproveitar...

— Exatamente, senhor — disse o inglês com nobreza —, quando se trata de um adversário como Arsène Lupin, Herlock Sholmes não aproveita as oportunidades... ele dá luz a elas.

Mas a hora instava e, já que Arsène Lupin tinha tido a encantadora atenção de enviar o automóvel, era melhor aproveitar sem demora. Devanne e Herlock Sholmes entraram ao confortável carro, Édouard deu uma volta na manivela e partiram. Campos e aglomerados de árvores passaram. As ondulações suaves da região de Caux passavam por eles. De repente os olhos de Devanne foram atraídos por um pacote.

— Olhe, que será isto? Um pacote. E para quem? É para o senhor!

— Para mim?

— Leia: "Sr. Herlock Sholmes, da parte de Arsène Lupin".

O inglês agarrou o pacote, desatou e retirou as duas folhas de papel que o envolviam. Era um relógio.

— Aoh! — disse ele, acompanhando esta exclamação de um gesto de raiva.

— Um relógio... — disse Devanne. — Será por acaso...?

O inglês não respondeu.

— Como! É o seu relógio! Arsène Lupin lhe devolve o seu relógio! Se ele o devolve é porque o pegou! Esta é boa, o relógio de Herlock Sholmes roubado por Arsène Lupin! Deus, que engraçado! Não, verdade... desculpe... mas é mais forte que eu.

E, quando riu o suficiente, afirmou em tom convicto:

— Oh, ele é realmente um homem...

O inglês não se mexeu. Dieppe não pronunciou mais uma palavra, os olhos fixos no horizonte. Seu silêncio era terrível, insondável, mais violento que a mais feroz raiva. Já na plataforma para apanhar o trem, disse simplesmente, sem cólera desta vez, mas num tom em que se sentia a vontade e toda a energia do personagem:

— Sim, é um homem, e um homem sobre cujo ombro me agradaria pôr esta mão que lhe estendo, Sr. Devanne. E veja, creio que Arsène Lupin e Herlock Sholmes se encontrarão de novo um dia ou outro... Sim, o mundo é pequeno para eles não se encontrarem... e nesse dia...